C000177225

FOLIO JUNIOR

LES ANIMAUX FANTASTIQUES

LE TEXTE DU FILM

J.K. ROWLING

LES ANIMAUX FANTASTIQUES

LE TEXTE DU FILM

COUVERTURE ET DESIGN INTÉRIEUR
PAR MINALIMA

INDICATIONS SCÉNIQUES TRADUITES DE L'ANGLAIS
PAR JEAN-FRANÇOIS MÉNARD

DIALOGUES ÉTABLIS À PARTIR DU DOUBLAGE TRADUIT PAR
LINDA BRUNO ET DU SOUS-TITRAGE TRADUIT PAR JULIETTE GARON
DE LA VERSION FRANÇAISE DU FILM DE WARNER BROS.

GALLIMARD JEUNESSE

Titre original : *Fantastic Beasts and Where to Find Them – The Original Screenplay*

Édition originale publiée par Little, Brown, Grande-Bretagne, 2016

Doublage en français du film de Warner Bros. : traduction de Linda Bruno
Sous-titrage en français du film de Warner Bros. : traduction de Juliette Caron

Paroles de la chanson pages 252-253 et 257-258 : traduction de Jean-François Ménard,

À la mémoire de Gordon Murray,
soigneur de créatures dans la vraie vie et également héros

GLOSSAIRE DES TERMES CINÉMATOGRAPHIQUES

Cut : Transition nette, coupe franche, par laquelle on indique qu'on a changé de séquence ou de décor. Le « time cut » permet, au moyen d'une ellipse, de passer d'un moment à un autre dans une même scène.

Ext. : Abréviation du mot « extérieur » pour indiquer une prise de vues en extérieur.

Gros plan : Plan qui montre un visage ou un objet de très près.

Hors champ : Lorsqu'un acteur qui joue dans une scène prononce une phrase de dialogue qu'on entend sans qu'il soit à l'image, il est « hors champ ».

Int. : Abréviation du mot « intérieur » pour indiquer une prise de vues en intérieur.

Montage-séquence : Suite de plan courts, condensant l'espace, le temps et certaines informations, souvent accompagnée de musique.

Panoramique : Le panoramique consiste à imprimer un mouvement à la caméra alors qu'elle se trouve sur un axe fixe.

Panoramique filé : Le panoramique filé, très rapide, permet de passer d'un sujet à un autre sans qu'on puisse distinguer les images intermédiaires.

Plan fixe : La caméra est immobile quand elle cadre un objet ou une personne.

Plan général : La caméra montre l'environnement d'une personne ou d'un objet. On l'utilise souvent pour planter le décor.

Plan général en plongée : On dit d'un plan général qu'il est « en plongée » lorsque la caméra est située au-dessus du sujet.

Plan subjectif : Plan par lequel le réalisateur donne l'impression au spectateur de voir les choses à travers l'œil d'un personnage du film, comme si on était ce personnage.

Plan sur plan : Suite de deux ou plusieurs plans pris dans le même axe qui font l'effet d'un saut bref dans le temps.

Retour sur la scène : Après avoir cadré un personnage ou une action dans une scène, la caméra revient à l'ensemble de la scène.

Sotto voce **:** Expression italienne signifiant « à voix basse ».

Voix off : Voix d'un acteur qui ne se trouve pas dans la scène montrée au spectateur, un narrateur par exemple.

SCÈNE 1
EXT. NUIT – QUELQUE PART EN EUROPE, 1926

Un grand château isolé, à l'abandon, émerge de l'obscurité. La caméra cadre une place au sol recouvert de pavés devant le bâtiment sinistre, silencieux, enveloppé de brume.

Cinq Aurors, debout, la baguette brandie, s'approchent précautionneusement du château. Une soudaine explosion de lumière d'une totale blancheur les projette dans les airs.

*Un panoramique filé s'arrête sur leurs corps dispersés, étendus immobiles à l'orée d'un vaste parc. Une silhouette (*GRINDELWALD*) entre dans le champ, dos à la caméra. Indifférent aux corps, le personnage contemple le ciel nocturne tandis qu'un panoramique ascendant monte vers la lune.*

MONTAGE-SÉQUENCE : diverses manchettes de journaux magiques datés de 1926 se succèdent, relatant les attaques de GRINDELWALD *dans le monde entier*

– GRINDELWALD FRAPPE ENCORE EN EUROPE, POUDLARD ACCROÎT SA SÉCURITÉ, OÙ EST GRINDELWALD ? Il représente une grave menace pour la communauté magique et il a disparu. Des photos animées montrent en détail des bâtiments détruits, des incendies, des victimes hurlantes. Les articles sont denses et se multiplient rapidement – la chasse entreprise dans le monde entier pour retrouver GRINDELWALD *continue. Travelling avant sur un dernier article sous une photo de la statue de la Liberté.*

TRANSITION SUR :

<u>SCÈNE 2</u>

EXT. JOUR – LE LENDEMAIN MATIN, UN NAVIRE GLISSE LENTEMENT DANS LE PORT DE NEW YORK

C'est une belle et claire journée new-yorkaise. Des mouettes planent dans le ciel.

Un grand paquebot passe devant la statue de la Liberté. Des passagers, penchés aux rambardes, observent avec excitation la terre qui se rapproche.

TRAVELLING AVANT pour cadrer une silhouette assise sur un banc. Elle nous tourne le dos – c'est NORBERT DRAGONNEAU, *le visage tanné par les intempéries, le corps efflanqué, vêtu d'un vieux manteau bleu. À côté de lui est posée une valise cabossée en cuir marron. Un de ses deux fermoirs s'ouvre brusquement de sa propre initiative.* NORBERT *se penche aussitôt pour le refermer.*

Plaçant la valise sur ses genoux, NORBERT *se penche en avant et murmure quelques mots.*

NORBERT

Dougal, tiens-toi tranquille, s'il te plaît.
Ce ne sera pas long.

SCÈNE 3
EXT. JOUR – NEW YORK

VUE AÉRIENNE de New York.

SCÈNE 4
EXT. JOUR NAVIRE/INT. JOUR – DOUANES, QUELQUES INSTANTS PLUS TARD

Au milieu d'une foule grouillante, NORBERT *descend la passerelle du paquebot tandis que la caméra avance en travelling vers la valise.*

LE DOUANIER
(*hors champ*)
Suivant.

NORBERT *passe la douane – une longue rangée de bureaux, près des docks, derrière lesquels se tiennent des agents des douanes américaines, l'air sérieux. Un* DOUANIER *examine le passeport britannique très défraîchi de* NORBERT.

LE DOUANIER

Anglais, hein ?

NORBERT

Oui.

LE DOUANIER

Premier séjour à New York ?

NORBERT

Oui.

LE DOUANIER

(*montrant la valise de* NORBERT)

Rien de comestible, là-dedans ?

NORBERT

(*posant la main sur sa poche poitrine*)

Non.

LE DOUANIER

Animaux d'élevage ?

Le fermoir de la valise s'ouvre à nouveau tout seul. NORBERT *y jette un coup d'œil et s'empresse de le refermer.*

NORBERT

Il faut que je répare ça. Ah, non.

LE DOUANIER

(*soupçonneux*)

Faites-moi voir.

NORBERT *place la valise sur le bureau qui le sépare du* DOUANIER *et tourne discrètement un cadran de cuivre en l'arrêtant sur « version moldue ».*

LE DOUANIER *fait pivoter la valise vers lui et libère les fermoirs. Il soulève alors le couvercle qui laisse voir un pyjama, diverses cartes, un carnet, un réveil, une loupe et une écharpe de Poufsouffle. Satisfait, il referme la valise.*

LE DOUANIER

Bienvenue à New York.

NORBERT

Merci.

NORBERT *reprend son passeport et sa valise.*

LE DOUANIER

Suivant !

NORBERT *traverse la douane et sort.*

SCÈNE 5
EXT. CRÉPUSCULE – UNE RUE PROCHE DE LA STATION DE MÉTRO DE L'HÔTEL DE VILLE

Une longue rue bordée de maisons identiques en pierres rouge-brun. L'une des maisons n'est plus qu'un tas de ruines. Un troupeau de reporters et de photographes s'affaire tout autour dans le vague espoir que quelque chose va se produire, mais sans grand enthousiasme. Un REPORTER *interviewe un homme d'âge moyen, visiblement très remué. Tous deux s'avancent à travers les décombres.*

LE TÉMOIN

C'était comme… comme un coup
de vent. Ou comme un… un fantôme.
Mais sombre. Et… j'ai vu ses yeux.
Des yeux blancs et luisants.

LE REPORTER

(*dénué d'expression, son carnet à la main*)
Du vent sombre, avec des yeux…

LE TÉMOIN

C'était sombre. C'était une masse. Et ça
a plongé là. Là, j'vous dis, sous terre.
Sous terre juste devant moi.

PLAN RAPPROCHÉ de PERCIVAL GRAVES *qui s'approche de la maison détruite.*

GRAVES : *élégamment vêtu, très beau, dans la quarantaine. Son comportement le distingue nettement de ceux qui*

l'entourent. Attentif, comme ramassé sur lui-même, il semble très sûr de lui.

LE PHOTOGRAPHE
(*sotto voce*)
Alors ? Qu'est-ce que ça raconte ?

LE REPORTER
(*sotto voce*)
Du vent sombre. Bla, bla, bla.

LE PHOTOGRAPHE
C'est un truc atmosphérique. Ou électrique.

GRAVES *monte les marches de la maison détruite. Curieux, aux aguets, il examine les débris.*

LE REPORTER
Hé, t'as pas soif ?

LE PHOTOGRAPHE
Non. Je touche plus une goutte. J'ai promis à Martha d'arrêter.

Le vent commence à se lever, tourbillonnant entre les maisons, accompagné d'un hurlement suraigu. GRAVES, *seul, paraît intéressé.*

Une série de détonations retentissent au niveau de la rue. Tout le monde se retourne pour essayer de déterminer l'origine du bruit : un mur se lézarde, les débris se mettent à remuer avant d'exploser comme dans un tremblement de terre qui déchire le sol, s'éloignant de la maison et s'avançant au milieu de la chaussée, le long de la rue. C'est un mouvement violent, précipité – des passants et des voitures sont projetés dans les airs.

La force mystérieuse s'envole alors, tournoyant à travers la ville, plongeant dans des allées, puis surgissant à nouveau du sol avant de s'écraser dans une station de métro.

GROS PLAN de GRAVES *qui observe les dégâts dans la rue.*

Un concert de rugissements et de mugissements monte des entrailles de la terre.

SCÈNE 6
EXT. JOUR – UNE RUE DE NEW YORK

En observant NORBERT, *nous voyons un être spontané, naturel, qui a quelque chose de Buster Keaton, comme s'il vivait à un rythme différent par rapport aux autres. Il serre entre ses doigts un petit papier qui lui indique un itinéraire, ce qui ne l'empêche pas de manifester une curiosité de savant pour cet environnement qui lui est étranger.*

SCÈNE 7
EXT. JOUR – DANS UNE AUTRE RUE,
LES MARCHES CONDUISANT À LA CITY BANK

NORBERT, *intrigué par des cris, s'approche d'une foule rassemblée autour de représentants de la Ligue des Fidèles de Salem.*

MARY LOU BELLEBOSSE, *une séduisante jeune femme du*

Middle West vêtue d'une robe de style puritain à la mode des années 1920, la mine sérieuse et dotée d'un certain charisme, se tient sur une petite estrade, au pied des marches de la City Bank. Derrière elle, un homme exhibe une banderole affichant le symbole de l'organisation : des mains qui tiennent fièrement une baguette magique brisée, au milieu de flammes rouge et jaune étincelantes.

MARY LOU
(*à la foule*)
… cette ville extraordinaire resplendit de toutes les merveilles inventées par l'homme. Les cinémas, les automobiles, la radio, les lumières électriques… tout cela nous éblouit et nous ensorcelle !

NORBERT *ralentit le pas et observe* MARY LOU *comme il observerait une espèce inconnue. Aucun jugement chez lui, un simple intérêt. À proximité se trouve* TINA GOLDSTEIN, *un chapeau enfoncé sur la tête, le col relevé. Elle mange un hot dog et de la moutarde s'est répandue sur sa lèvre. Sans le faire exprès,* NORBERT *la bouscule alors qu'il se fraie un chemin à travers les badauds.*

NORBERT

Oh… pardon.

MARY LOU

Mais la lumière ne va pas sans l'ombre, mon ami. Quelque chose rôde dans notre ville. Ce quelque chose fait des ravages et disparaît sans laisser de trace…

D'une démarche qui trahit sa nervosité, JACOB KOWALSKI *s'avance le long de la rue en direction du rassemblement. Il est vêtu d'un costume mal coupé et porte une valise cabossée en cuir marron.*

MARY LOU

(*hors champ*)

Nous devons nous battre. Rejoignez-nous, les Fidèles de Salem, dans notre combat.

JACOB *se faufile parmi les spectateurs et lui aussi bouscule* TINA *au passage.*

JACOB

Pardon, poupée, j'essaie d'aller à la banque. Excusez-moi. J'aimerais bien…

JACOB *trébuche contre la valise de* NORBERT *et disparaît momentanément en tombant.* NORBERT *l'aide à se relever.*

NORBERT

Toutes mes excuses. C'est ma valise.

JACOB

Y a pas de mal.

JACOB *poursuit son chemin en jouant des coudes, passe devant* MARY LOU *et monte les marches qui mènent à la banque.*

JACOB

Excusez-moi !

L'agitation autour de NORBERT *attire le regard de* MARY LOU.

MARY LOU
(*s'adressant à* NORBERT *d'une voix charmeuse*)
Vous ! L'ami ! Qu'est-ce qui vous amène ici aujourd'hui ?

NORBERT *est surpris de se trouver au centre de l'attention générale.*

NORBERT
Oh, je ne faisais que… passer.

MARY LOU
Êtes-vous à la recherche de quelque chose ? À la recherche de la vérité ?

Un temps.

NORBERT
À la poursuite de quelque chose, plutôt.

PLAN DE COUPE sur des gens qui entrent dans la banque et en sortent.

Un homme vêtu avec élégance jette d'une pichenette une pièce de dix cents à un mendiant assis sur les marches.

GROS PLAN de la pièce qui tombe au ralenti.

MARY LOU
(*hors champ*)
Écoutez mes paroles. Et entendez mon avertissement.

PLAN RAPPROCHÉ sur de petites pattes qui viennent d'apparaître dans l'interstice entre le couvercle et le corps de la valise de NORBERT.

PLAN de la pièce de dix cents qui tombe sur les marches en produisant un tintement musical.

RETOUR sur les pattes qui s'efforcent à présent d'ouvrir la valise.

MARY LOU
Et riez, si vous osez. *Les sorcières sont parmi nous !*

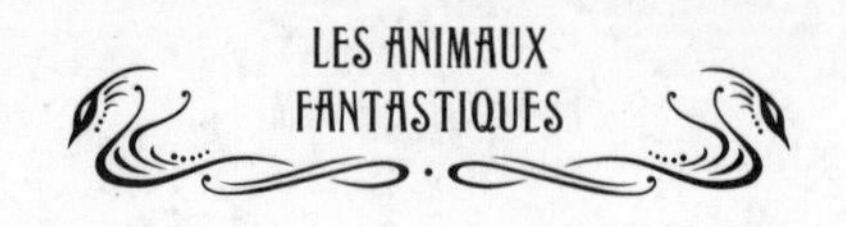

Les trois enfants adoptés par MARY LOU, *deux adultes,* CROYANCE *et* CHASTETÉ, *et* MODESTIE *(une fillette de huit ans), distribuent des tracts.* CROYANCE *paraît nerveux et troublé.*

MARY LOU
(*hors champ*)
Nous devons nous battre ensemble
pour nos enfants, pour l'avenir !
(*à* NORBERT)
Que répondez-vous à cela, l'ami ?

Lorsque NORBERT *lève la tête vers* MARY LOU, *il aperçoit du coin de l'œil quelque chose qui attire son attention. Le Niffleur, une petite créature à la fourrure noire, croisement entre une taupe et un ornithorynque à bec de canard, est assis sur les marches de la banque. L'animal emporte précipitamment le chapeau du mendiant rempli de pièces et va le cacher derrière un pilier.*

NORBERT, *stupéfait, regarde sa valise.*

PLAN sur le Niffleur, occupé à remplir sa poche ventrale avec les pièces du mendiant. Le Niffleur lève les yeux, voit que

NORBERT *le regarde et se dépêche de ramasser le reste des pièces avant de filer et d'entrer dans la banque.*

NORBERT *se précipite.*

NORBERT

Excusez-moi.

PLAN sur MARY LOU *– elle semble déconcertée par le manque d'intérêt de* NORBERT *pour la cause qu'elle défend.*

MARY LOU

(*hors champ*)

Les sorcières sont parmi nous.

PLAN sur TINA *qui s'avance parmi la foule en observant* NORBERT *d'un œil soupçonneux.*

SCÈNE 8

INT. JOUR – HALL DE LA BANQUE, QUELQUES INSTANTS PLUS TARD

Nous sommes dans un vaste atrium très impressionnant. Au centre, derrière un comptoir doré, des employés de la banque s'affairent pour servir les clients.

NORBERT *s'arrête dans une glissade à l'entrée du hall et regarde autour de lui, cherchant sa créature. Ses vêtements et son comportement le font paraître déplacé au milieu des New-Yorkais habillés avec élégance.*

UN EMPLOYÉ DE BANQUE
(*soupçonneux*)
Puis-je vous aider, monsieur ?

NORBERT
Non, en fait, je… je… j'attendais.

NORBERT *fait un geste en direction d'un banc et s'éloigne à reculons pour aller s'asseoir à côté de* JACOB.

TINA, *cachée derrière un pilier, regarde fixement* NORBERT.

JACOB
(*mal à l'aise*)
Bonjour. Vous venez pour quoi ?

NORBERT *essaye désespérément de repérer son Niffleur.*

NORBERT
La même chose que vous…

JACOB
Un crédit pour ouvrir une boulangerie ?

NORBERT
(*regardant autour de lui d'un air inquiet*)
Oui.

JACOB
Oh, ben ça alors… Eh bien, que le meilleur gagne.

NORBERT *aperçoit le Niffleur en train de voler des pièces dans le sac de quelqu'un.*

JACOB *tend la main mais* NORBERT *est déjà parti.*

NORBERT

Excusez-moi.

NORBERT *se précipite. À la place qu'il occupait sur le banc se trouve à présent un gros œuf argenté.*

JACOB

Hé, monsieur ! Hé, monsieur !

NORBERT *n'entend pas. Il est trop concentré sur sa chasse au Niffleur.*

JACOB *prend l'œuf, mais au même moment, la porte du bureau du directeur de la banque s'ouvre et une* SECRÉTAIRE *apparaît.*

JACOB

Hé, mon gars !

LA SECRÉTAIRE

Monsieur Kowalski, M. Bingley va vous recevoir.

JACOB *met l'œuf dans sa poche et se dirige vers le bureau en rassemblant tout son courage.*

JACOB
(*sotto voce*)
Euh, oui. Allez.

PLAN sur NORBERT *poursuivant furtivement le Niffleur qui se promène dans la banque. Il finit par le repérer au moment où l'animal ôte une boucle étincelante de la chaussure d'une dame puis s'enfuit très vite, impatient de trouver d'autres objets brillants.*

Tandis que NORBERT *l'observe sans pouvoir intervenir, le Niffleur bondit en souplesse entre des valises et dans des sacs, saisissant et emportant des objets au passage.*

SCÈNE 9
**INT. JOUR – BUREAU DE BINGLEY,
QUELQUES INSTANTS PLUS TARD**

JACOB *fait face à un* M. BINGLEY *imposant, au costume impeccable. Le directeur de la banque est en train d'examiner le projet de* JACOB *qui voudrait ouvrir une boulangerie.*

Un silence gênant s'installe. On n'entend que le tic-tac d'une horloge et les marmonnements de BINGLEY.

JACOB *baisse les yeux vers sa poche. L'œuf s'est mis à vibrer.*

M. BINGLEY

Vous travaillez actuellement… dans une conserverie.

JACOB

C'est ce que j'ai trouvé de mieux, je ne suis revenu qu'en 1924.

M. BINGLEY

Revenu ?

JACOB
D'Europe, monsieur. Oui. Là-bas, je faisais partie du corps expéditionnaire.

JACOB *est manifestement mal à l'aise, mimant l'action de creuser lorsqu'il prononce les mots « corps expéditionnaire », dans le vain espoir qu'une plaisanterie pourrait aider sa cause.*

SCÈNE 10

INT. JOUR – SALLE AU FOND DE LA BANQUE, QUELQUES INSTANTS PLUS TARD

RETOUR sur NORBERT *à l'intérieur de la banque. En cherchant le Niffleur, il a fini par se retrouver dans une file d'attente devant un guichet. Il tend le cou, regardant par-dessus le sac d'une dame en tête de la file.* TINA *l'observe toujours, derrière le pilier.*

PLAN sur des pièces de monnaie qui tombent sous un banc.

RETOUR sur NORBERT, *qui entend le tintement des pièces et se retourne, voyant alors de petites pattes les ramasser en hâte.*

PLAN sur le Niffleur assis sous le banc. Il paraît bien gras et très content de lui. Mais, pas encore satisfait, il remarque une plaque brillante qui pend au cou d'un petit chien. Le Niffleur effronté s'avance lentement – ses petites pattes tendues pour attraper la plaque. Le chien grogne et aboie.

NORBERT *bondit et plonge sous le banc – le Niffleur s'enfuit, filant par-dessus la vitre du comptoir, hors de portée de* NORBERT.

SCÈNE 11
INT. JOUR – BUREAU DE BINGLEY, QUELQUES INSTANTS PLUS TARD

JACOB *ouvre sa valise avec une grande fierté. À l'intérieur s'étale un choix de ses pâtisseries faites maison.*

JACOB
(*hors champ*)
Voilà.

M. BINGLEY
Monsieur Kowalski…

JACOB
Il faut goûter les *paczki*, d'accord ?
C'est la recette de ma grand-mère.
C'est le zeste d'orange qui…

JACOB *lui tend un beignet polonais… Mais* BINGLEY *ne se laisse pas distraire.*

M. BINGLEY
Monsieur Kowalski, que proposez-vous

d'offrir à la banque au juste comme
garantie ?

JACOB

Garantie ?

M. BINGLEY

Garantie.

JACOB, *avec espoir, montre ses pâtisseries d'un geste de la main.*

M. BINGLEY

Maintenant, il existe des machines
capables de produire des centaines de
beignets à l'heure.

JACOB

Je sais. Je sais. Mais ça n'a rien à voir
avec ce que je fais. Vous…

M. BINGLEY

La banque doit se prémunir, monsieur
Kowalski. Bonne journée.

BINGLEY, *en signe de refus, actionne une sonnette sur son bureau.*

SCÈNE 12

INT. JOUR – DERRIÈRE LES COMPTOIRS DE LA BANQUE, QUELQUES INSTANTS PLUS TARD

Le Niffleur est assis sur un chariot surchargé de sacs d'argent qu'il vide avec cupidité pour en mettre le contenu dans sa poche ventrale. Alors que NORBERT, *effaré, l'observe à travers la grille de sécurité, un garde pousse le chariot le long d'un couloir.*

SCÈNE 13
INT. JOUR – HALL DE LA BANQUE, QUELQUES INSTANTS PLUS TARD

JACOB, *abattu, sort du bureau de* BINGLEY. *Sa poche arrondie par l'œuf se met à vibrer. Inquiet, il en sort l'œuf et regarde autour de lui.*

PLAN sur le Niffleur, toujours assis sur le chariot qui est à présent poussé dans un ascenseur.

RETOUR sur JACOB *qui voit* NORBERT *au loin.*

JACOB
Hé ! Monsieur l'Anglais ! Je crois que votre œuf va éclore.

NORBERT *regarde précipitamment* JACOB *et les portes de l'ascenseur qui se referment avant de prendre une décision : il pointe sa baguette magique sur* JACOB. *Celui-ci et l'œuf sont alors attirés magiquement vers* NORBERT *à travers le hall. En une fraction de seconde, ils ont transplané.*

TINA *continue de regarder, incrédule, derrière son pilier.*

SCÈNE 14
INT. JOUR – SALLE AU FOND DE LA BANQUE / UN ESCALIER

NORBERT *et* JACOB *transplanent dans une étroite cage d'escalier qui mène aux coffres de la banque, dépassant soudainement les guichetiers et les agents de la sécurité.*

NORBERT *prend délicatement des mains de* JACOB *l'œuf en train d'éclore, laissant apparaître un petit oiseau bleu en forme de serpent – un Occamy.*

Avec une expression d'émerveillement, NORBERT *regarde* JACOB *comme s'il attendait de sa part une réaction semblable.*

Lentement, NORBERT *emporte la créature qui vient de naître au bas de l'escalier.*

JACOB

Excusez-moi…

JACOB, *complètement dérouté, se retourne vers le haut de l'escalier qui mène dans le hall principal. En voyant* BINGLEY *approcher, il descend aussitôt les marches pour se mettre hors de vue.*

JACOB
(*à lui-même*)
J'étais… là. Je suis venu… J'étais là ?

SCÈNE 15

INT. JOUR – COULOIR SOUTERRAIN DE LA BANQUE CONDUISANT À LA CHAMBRE FORTE

PLAN SUBJECTIF de JACOB : NORBERT, *accroupi, ouvre sa valise. Il place précautionneusement l'Occamy tout juste éclos à l'intérieur en lui murmurant tendrement :*

NORBERT
Entre là-dedans…

JACOB
(*hors champ*)
Dites !

NORBERT
Non. Soyez sages. Gentils. Dougal, ne m'oblige pas à venir.

JACOB *s'avance dans le couloir, le regard rivé sur* NORBERT.

Nous voyons alors une étrange créature verte, moitié plante, moitié insecte, le corps en forme de brindille, pointer la tête d'un air intrigué hors de la poche poitrine de NORBERT. *C'est* PICKETT, *un Botruc.*

NORBERT
Ne m'oblige pas à descendre.

NORBERT *lève les yeux et voit le Niffleur se faufiler à travers les portes verrouillées qui donnent accès au coffre central de la banque.*

NORBERT

Et puis quoi encore ?

NORBERT *sort sa baguette magique et la pointe vers la chambre forte.*

NORBERT

Alohomora.

Nous voyons alors les serrures et les rouages de la porte se mettre en mouvement.

BINGLEY *tourne le coin du couloir au moment précis où la porte de la chambre forte commence à pivoter sur ses gonds.*

BINGLEY

(*à* JACOB)

Oh, alors comme ça vous comptez
VOLER l'argent, hein ?

BINGLEY *presse un bouton sur le mur. Une alarme se déclenche.* NORBERT *brandit sa baguette magique…*

NORBERT

Petrificus Totalus.

BINGLEY *se pétrifie soudain et tombe en arrière de tout son long.* JACOB *n'en croit pas ses yeux.*

JACOB

Monsieur Bingley !

La porte de la chambre forte s'ouvre en grand.

M. BINGLEY

(*paralysé*)

Kowalski !

NORBERT *se précipite dans la chambre forte. À l'intérieur, il trouve le Niffleur au milieu de centaines de coffres individuels ouverts. Il est assis sur un gros tas d'argent. L'animal fixe* NORBERT *d'un regard de défi tout en s'efforçant d'introduire une autre barre d'or dans sa poche déjà débordante.*

NORBERT

Sérieusement ?

NORBERT *se saisit fermement du Niffleur et le retourne en le secouant par ses pattes arrière. Une quantité extraordinaire, et apparemment infinie, d'objets précieux tombe sur le sol.*

NORBERT
(*au Niffleur*)
Non.

JACOB *regarde autour de lui, incrédule, en éprouvant une peur qui lui donne presque la nausée.*

En dépit de leur dispute, NORBERT *a beaucoup d'affection pour le Niffleur. Il sourit en lui chatouillant le ventre, provoquant la chute d'autres trésors.*

Des bruits de pas retentissent dans l'escalier lorsque plusieurs gardes armés dévalent les marches et se ruent dans la chambre forte.

JACOB
(*pris de panique*)
Oh, non. Non ! Ne tirez pas ! Ne tirez pas…!

NORBERT *attrape aussitôt* JACOB *par le bras et tous deux, accompagnés du Niffleur et de la valise, transplanent.*

SCÈNE 16
EXT. JOUR – UNE PETITE RUE DÉSERTE PRÈS DE LA BANQUE

NORBERT *et* JACOB *transplanent dans une rue secondaire. Les alarmes retentissent en provenance de la banque. Au bout de la rue, on aperçoit un attroupement qui se forme et la police qui arrive.*

TINA *sort de la banque en courant et regarde dans la rue. Elle voit* NORBERT *qui lutte avec le Niffleur pour le remettre dans la valise et* JACOB *recroquevillé près d'un mur.*

JACOB

Ahhh !

NORBERT

Pour la dernière fois, vilain voleur, bas les pattes ! On ne touche pas aux affaires des autres.

NORBERT *referme sa valise puis tourne la tête vers* JACOB.

NORBERT

Je suis affreusement navré…

JACOB

C'était *quoi*, ça ?

NORBERT

Vous n'avez pas besoin de savoir. Malheureusement… vous en avez beaucoup trop vu. Si vous voulez bien rester où vous êtes, ce ne sera pas long.

NORBERT, *essayant de trouver sa baguette magique, tourne le dos à* JACOB. *Celui-ci saisit l'occasion, prend sa valise et en frappe violemment* NORBERT *qui est projeté à terre sous le choc.*

JACOB

Désolé…

JACOB *s'enfuit à toutes jambes.*

NORBERT *se tient la tête un moment et regarde* JACOB *se précipiter le long de la rue étroite pour rejoindre la foule des badauds.*

NORBERT

Bon sang !

TINA *parcourt la rue d'un pas décidé.* NORBERT *reprend ses esprits, ramasse sa valise et, s'efforçant d'afficher un air nonchalant, marche vers elle. Au moment où il la croise,* TINA *attrape* NORBERT *par le coude et tous deux transplanent.*

SCÈNE 17

EXT. JOUR – UNE RUELLE ÉTROITE EN FACE DE LA BANQUE

NORBERT *et* TINA *ont transplané dans une ruelle exiguë aux murs de briques. On entend toujours les sirènes de police retentir en arrière-plan.*

TINA, *incrédule et hors d'haleine, se tourne vers* NORBERT.

TINA

Qui *êtes*-vous ?

NORBERT

Pardon ?

TINA

Qui *êtes-vous* ?

NORBERT

Norbert Dragonneau. Et vous ?

TINA

Quelle est cette *chose* dans votre valise ?

NORBERT

C'est mon Niffleur.

(*montrant les traces que la moutarde du hot dog a laissées sur la lèvre de* TINA)

Vous avez quelque chose sur la…

TINA

Nom d'une licorne, pourquoi avez-vous laissé cette chose sortir ?

NORBERT

Ce n'était pas volontaire. Il est incorrigible. Dès que quelque chose brille il est complètement…

TINA

Ce n'était pas volontaire ?

NORBERT

Non.

TINA

Vous ne pouviez pas choisir pire moment pour laisser échapper

cette créature. C'est déjà la pagaille
dans toute la ville. Je vous embarque.

NORBERT

Où est-ce que vous m'embarquez ?

Elle exhibe sa carte d'identité officielle. On y voit une photo animée de TINA *et un symbole impressionnant représentant un aigle américain : c'est la marque du MACUSA (Magical Congress of the United States of America).*

TINA

Congrès magique des États-Unis
d'Amérique.

NORBERT
(*mal à l'aise*)

Vous travaillez pour le MACUSA ?
Vous êtes une sorte d'enquêtrice ?

TINA
(*hésitante*)

Hum.

Elle remet sa carte d'identité dans une poche de son manteau.

TINA

Rassurez-moi, vous vous êtes occupé du Non-Maj.

NORBERT

Du quoi ?

TINA

(*qui commence à s'énerver*)

Du Non-Maj. Non-Magique !
Le non-sorcier !

NORBERT

Pardon. Chez nous, on dit Moldu.

TINA

(*devenant vraiment inquiète*)

Vous avez bien effacé sa mémoire ?
Le Non-Maj avec la valise.

NORBERT

Euh…

TINA

(*effarée*)

C'est une infraction 3A. Je vous embarque, monsieur Dragonneau.

Elle prend NORBERT *par le bras et ils transplanent à nouveau.*

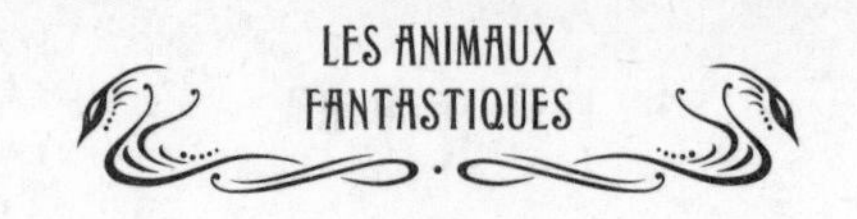

SCÈNE 18
EXT. JOUR – BROADWAY

Un gratte-ciel d'une hauteur incroyable, à la façade surchargée de moulures, se dresse à l'angle d'une rue très animée – c'est le Woolworth Building.

NORBERT *et* TINA *marchent d'un pas vif le long de Broadway*

en direction du gratte-ciel. TINA *traîne presque* NORBERT *par la manche.*

TINA

Venez.

NORBERT

Excusez-moi, mais il se trouve que j'ai des choses à faire.

TINA

Eh bien… il faudra vous réorganiser.

TINA *guide* NORBERT *de force à travers la circulation très dense.*

TINA

Que faites-vous à New York, d'ailleurs ?

NORBERT

Je suis venu acheter un cadeau d'anniversaire.

TINA

Vous ne pouviez pas l'acheter
à Londres ?

Ils sont arrivés devant le Woolworth Building. Des employés entrent et sortent par une porte à tambour.

NORBERT

Non, il n'y a qu'un seul éleveur
de Boursoufs tachetés dans le monde
et il vit à New York. Alors non.

TINA *pousse* NORBERT *vers une porte latérale gardée par un homme dont l'uniforme est constitué d'une cape.*

TINA

(*au garde*)

J'ai une infraction 3A.

L'homme ouvre aussitôt la porte.

SCÈNE 19

INT. JOUR – RÉCEPTION DU WOOLWORTH BUILDING

Un atrium typique d'un immeuble de bureaux des années 1920. Des gens s'affairent un peu partout en bavardant.

TINA
(*hors champ*)
Hé ! Pour votre gouverne, l'élevage de créatures magiques est interdit à New York. Cet éleveur a dû fermer boutique il y a un an.

PANORAMIQUE pour cadrer TINA *qui franchit la porte avec* NORBERT. *Lorsqu'ils entrent, le hall tout entier se transforme magiquement, passant du Woolworth Building au bâtiment abritant le Congrès magique des États-Unis d'Amérique.*

SCÈNE 20
INT. JOUR – HALL DU MACUSA

PLAN SUBJECTIF de NORBERT *tandis qu'ils montent un large escalier et pénètrent dans le hall principal – un espace vaste et impressionnant avec des plafonds voûtés d'une hauteur qui semble impossible.*

Tout en haut, un gigantesque cadran doté de nombreux rouages affiche diverses indications. Au-dessus sont gravés ces mots : NIVEAU DE RISQUE D'EXPOSITION AUX NON-MAJ. L'aiguille du cadran est pointée sur SÉVÈRE : ACTIVITÉ NON EXPLIQUÉE. Derrière est accroché le portrait imposant d'une sorcière aux allures majestueuses : SÉRAPHINE PICQUERY, *la présidente du MACUSA.*

Chouettes et hiboux sillonnent les airs, des sorcières et des sorciers habillés à la mode des années 1920 travaillent avec ardeur. TINA *guide parmi la foule affairée un* NORBERT *visiblement impressionné. Ils passent devant une rangée de sorciers assis, attendant que leur baguette magique soit cirée par un elfe de maison qui actionne un appareil complexe composé de plumes.*

NORBERT *et* TINA *arrivent devant un ascenseur. Les portes s'ouvrent, laissant apparaître* ROUXI, *un gobelin liftier.*

ROUXI

Tiens, Goldstein !

TINA

Bonjour, Rouxi.

TINA *pousse* NORBERT *à l'intérieur de l'ascenseur.*

SCÈNE 21
INT. JOUR – ASCENSEUR

TINA
(*à* ROUXI)

Service des affaires majeures.

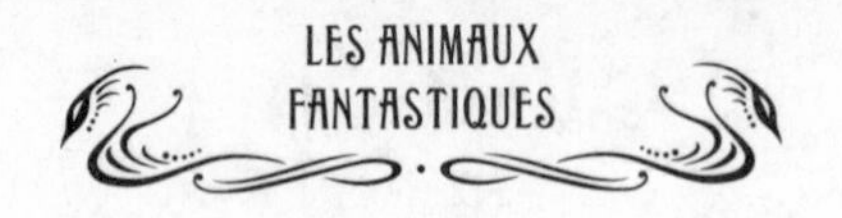

ROUXI

Je croyais que tu étais…

TINA

Service des affaires majeures ! J'ai une infraction 3A.

ROUXI *se sert d'une longue tige à l'extrémité en forme de griffe pour atteindre un bouton de l'ascenseur, au-dessus de sa tête. L'ascenseur descend.*

SCÈNE 22

INT. JOUR – SERVICE DES AFFAIRES MAJEURES

GROS PLAN d'un journal – le New York Ghost *– qui annonce à sa une : LES TROUBLES MAGIQUES À L'ORDRE PUBLIC RISQUENT DE RÉVÉLER L'EXISTENCE DES SORCIERS.*

Un groupe d'Aurors du plus haut niveau sont plongés dans une discussion très sérieuse. Parmi eux se trouve GRAVES *qui lit attentivement le journal, le visage couvert d'hématomes et de coupures à la suite de sa rencontre de la veille avec l'étrange entité.* MME PICQUERY *elle-même est également présente.*

MME PICQUERY

La Confédération internationale
menace d'envoyer une délégation.
Selon eux, ces incidents sont liés aux
attaques de Grindelwald en Europe.

GRAVES

J'étais sur les lieux. C'est un animal.
Aucun humain ne peut faire ce que
cette chose est capable de faire,
madame la présidente.

MME PICQUERY

(*hors champ*)

Quoi que ça puisse être, il faut l'arrêter
rapidement. C'est notre priorité.
Ça terrorise les Non-Maj. Et quand
les Non-Maj ont peur, ils attaquent.

Nous risquons d'être découverts.
Nous risquons la guerre.

Entendant des bruits de pas, le groupe se retourne vers TINA *qui s'approche prudemment en amenant* NORBERT.

MME PICQUERY
(*elle est en colère mais se domine*)
Je pensais avoir été claire quant à votre fonction ici, mademoiselle Goldstein.

TINA
(*effrayée*)
Oui, madame la présidente, mais…

MME PICQUERY
Vous n'êtes plus Auror.

TINA
Non, madame la présidente, mais…

MME PICQUERY
Goldstein.

TINA

Il y a eu un petit incident et…

MME PICQUERY

Pour l'heure, ce bureau s'intéresse aux incidents majeurs. Sortez.

TINA

(*humiliée*)

Oui, madame.

TINA *ramène un* NORBERT *déconcerté vers l'ascenseur.* GRAVES *les regarde s'éloigner. Il est le seul à paraître compatissant.*

SCÈNE 23

INT. JOUR – SOUS-SOL

L'ascenseur descend rapidement dans sa longue cage.

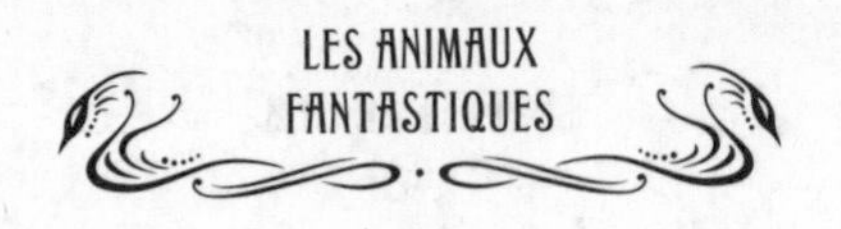

Les portes s'ouvrent sur une salle en sous-sol, étroite, sans fenêtres et sans air. Elle offre un douloureux contraste avec l'étage supérieur. De toute évidence, il faut avoir perdu tout espoir pour travailler dans un endroit pareil.

TINA *fait passer* NORBERT *devant une centaine de machines à écrire qui crépitent toutes seules sans personne pour les actionner. Un enchevêtrement de tubes de verre est accroché au plafond.*

Chaque fois qu'une machine à écrire achève de rédiger un mémo ou de remplir un formulaire, le papier se plie de lui-même en un origami représentant un rat qui file le long d'un des tubes pour accéder aux bureaux des étages supérieurs. Deux rats entrent en collision et se battent en se déchirant l'un l'autre.

TINA *s'avance vers un coin miteux de la salle. Une pancarte indique : BUREAU DES PERMIS DE PORT DE BAGUETTE MAGIQUE.*

NORBERT *baisse la tête pour entrer.*

SCÈNE 24

INT. JOUR – BUREAU DES PERMIS DE PORT DE BAGUETTE MAGIQUE

Le Bureau des permis de port de baguette magique est à peine plus grand qu'un placard. Des piles de demandes de permis s'entassent sans même qu'on ait pris la peine d'ouvrir les enveloppes.

TINA *s'arrête derrière un bureau. Elle enlève son manteau et son chapeau. Devant* NORBERT, *elle affiche une attitude officielle, s'affairant à consulter des papiers, pour essayer de retrouver le statut qu'elle a perdu.*

TINA

Vous avez votre permis baguette ?
Tout étranger doit l'avoir à New York.

NORBERT

(*mentant*)

J'ai fait une demande par courrier
il y a des semaines.

TINA

(*à présent assise sur le bureau,*
elle griffonne sur un bloc-notes)

Dragonneau…

(*le trouvant très suspect*)

Et vous étiez en Guinée équatoriale ?

NORBERT

Je viens de passer un an sur le terrain. J'écris un manuel sur les créatures magiques.

TINA

Un guide d'extermination en quelque sorte ?

NORBERT

Non, un guide pour faire comprendre aux gens pourquoi il faut protéger ces créatures au lieu de les tuer.

ABERNATHY
(*hors champ*)
GOLDSTEIN ? Où est-elle ? Où est-elle ? GOLDSTEIN !

TINA *se dissimule derrière son bureau, ce qui amuse beaucoup* NORBERT.

ABERNATHY, *un petit chef pompeux, fait son apparition. Il comprend tout de suite que* TINA *se cache.*

ABERNATHY
Goldstein !

TINA, *l'air coupable, émerge lentement de derrière son bureau.*

ABERNATHY
Vous venez encore de déranger les enquêteurs ?

TINA *s'apprête à se défendre, mais* ABERNATHY *continue.*

ABERNATHY
Où étiez-vous passée ?

TINA
(*mal à l'aise*)
Quoi ?

ABERNATHY
(*à* NORBERT)
Où vous a-t-elle ramassé ?

NORBERT
Moi ?

NORBERT *jette un rapide coup d'œil à* TINA *qui hoche la tête avec une expression désespérée.* NORBERT *essaye de gagner du temps – un pacte tacite s'est établi entre* TINA *et lui.*

ABERNATHY
(*énervé par l'absence de réponse*)
Vous étiez encore après les Fidèles de Salem ?

TINA
Pas du tout, monsieur.

GRAVES *apparaît à l'angle du mur.* ABERNATHY *se recroqueville aussitôt.*

ABERNATHY

Ah, monsieur Graves, bonjour, monsieur.

GRAVES

Bonjour, euh… Abernathy.

TINA *fait un pas en avant pour s'adresser à* GRAVES *en y mettant les formes.*

TINA

(*parlant rapidement, impatiente d'être entendue*)

Monsieur Graves, voici M. Dragonneau. Il a une créature bizarre dans cette valise, elle est sortie et elle a semé la pagaille dans une banque.

GRAVES

Voyons la bestiole.

TINA *pousse un soupir de soulagement : quelqu'un l'écoute enfin.* NORBERT *essaye de parler – manifestant un sentiment de panique que ne semblerait pas justifier un simple Niffleur –, mais* GRAVES *le fait taire.*

D'un geste théâtral, TINA *pose la valise sur une table et soulève le couvercle. Elle paraît atterrée en voyant ce qu'elle contient.*

PLAN DE COUPE sur l'intérieur de la valise : elle est remplie de pâtisseries. NORBERT *s'approche, nerveux. Lorsqu'il voit le contenu, il a l'air horrifié.* GRAVES *paraît perplexe, mais il a un léger sourire moqueur – ce n'est qu'une erreur de plus à mettre au compte de* TINA.

GRAVES

Tina…

GRAVES *s'éloigne.* NORBERT *et* TINA *se fixent du regard.*

SCÈNE 25

EXT. JOUR – UNE RUE DU LOWER EAST SIDE DE NEW YORK

JACOB *marche le long de la rue sinistre, sa valise à la main. Il passe devant des charrettes à bras, de petites boutiques*

miteuses et des immeubles d'habitation en jetant sans cesse des coups d'œil inquiets derrière lui.

SCÈNE 26
INT. JOUR – CHAMBRE DE JACOB

Une chambre minuscule et sale, aux meubles rares et misérables.

GROS PLAN de la valise que JACOB *jette sur son lit. Il lève la tête pour regarder un portrait de sa grand-mère accroché au mur.*

JACOB
Pardon, grand-mère.

JACOB *s'assied à sa table, la tête dans les mains. Il est déprimé, fatigué. Derrière lui, l'un des fermoirs de la valise s'ouvre tout seul.* JACOB *se retourne…*

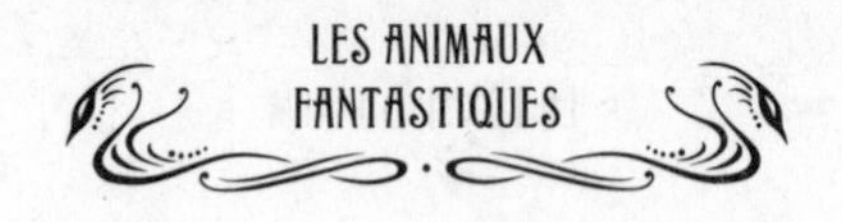

Il s'assied sur le lit et examine la valise. Le deuxième fermoir s'ouvre à son tour de sa propre initiative. La valise se met à trembler en émettant des bruits d'animaux à la tonalité agressive. JACOB *recule lentement.*

Avec prudence, il se penche en avant… Soudain, le couvercle se soulève et un Murlap surgit – c'est une créature semblable à un rat, qui porte sur le dos une excroissance en forme d'anémone de mer. JACOB *essaye de contenir l'animal en le tenant fermement des deux mains tandis qu'il se débat.*

RETOUR sur la valise dont le couvercle s'ouvre à nouveau brutalement sous la poussée d'un être invisible qui en jaillit, s'écrasant contre le plafond avant de fracasser la fenêtre par laquelle il s'enfuit.

Le Murlap tend la tête en avant et mord JACOB *au cou, le précipitant contre un meuble qu'il écrase sous son poids avant de tomber par terre.*

La pièce se met à trembler violemment. Le mur auquel est accroché le portrait de la grand-mère se lézarde puis explose alors que d'autres créatures s'échappent hors champ.

SCÈNE 27

INT. JOUR – ÉGLISE DES FIDÈLES DE SALEM, GRANDE SALLE – MONTAGE-SÉQUENCE

Une petite église minable en bois, aux fenêtres obscurcies avec un haut balcon en mezzanine. MODESTIE *joue toute seule à une variante de la marelle, sautant dans les cases d'une grille tracée à la craie.*

MODESTIE
Ma maman, ta maman
chassent les sorcières.
Ma maman, ta maman,
leurs balais fendent l'air.
Ma maman, ta maman,
une sorcière ne pleure pas.
Ma maman, ta maman,
sorcière, tu mourras !

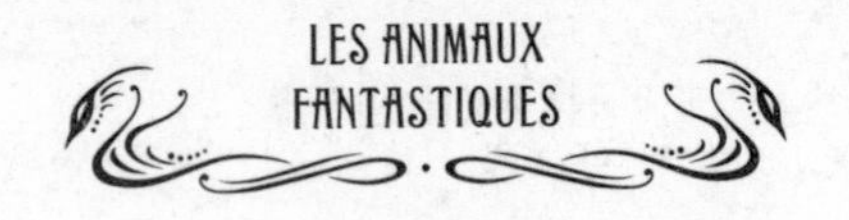

À mesure que la fillette chante, nous découvrons que l'église est remplie d'un attirail d'objets liés à l'association de MARY LOU *– notamment des tracts et une grande banderole anti-sorcellerie.*

SCÈNE 28
INT. JOUR – ÉGLISE DES FIDÈLES DE SALEM, GRANDE SALLE

Un pigeon roucoule sur le rebord d'une fenêtre en hauteur. CROYANCE *s'avance en le regardant, puis tape des mains machinalement. Le pigeon s'envole.*

Nous suivons CHASTETÉ *qui traverse l'église et ouvre le grand portail qui donne sur la rue.*

SCÈNE 29

EXT. JOUR – ÉGLISE DES FIDÈLES DE SALEM, COUR

CHASTETÉ *sort de l'église et sonne une grande cloche pour signaler l'heure du repas.*

SCÈNE 30

INT. JOUR – ÉGLISE DES FIDÈLES DE SALEM, GRANDE SALLE

MODESTIE *continue de jouer à la marelle.* CROYANCE *s'arrête et regarde vers l'entrée.*

MODESTIE
Troisième sorcière,
brûle sur le bûcher.
Quatrième sorcière,
elle sera fouettée.

De jeunes enfants s'engouffrent dans l'église.

CUT :
Une soupe brune est servie aux enfants qui jouent des coudes pour essayer de se mettre en tête de file. MARY LOU, *portant un tablier, regarde les enfants d'un air approbateur et se faufile parmi eux.*

MARY LOU
Les enfants, prenez vos tracts avant d'être servis.

Des enfants se tournent vers CHASTETÉ *qui attend d'un air sage, en leur tendant des tracts.*

CUT :
MARY LOU *et* CROYANCE *distribuent la soupe.* CROYANCE *scrute chaque visage.*

Un GARÇON *avec une tache de naissance sur le visage arrive en tête de la file.* CROYANCE *s'immobilise et l'observe attentivement.* MARY LOU *tend la main pour toucher le visage du* GARÇON.

LE GARÇON

C'est une marque de sorcière, madame ?

MARY LOU

Non. Tout va bien.

LE GARÇON *prend sa soupe et s'en va.* CROYANCE *le suit du regard tout en continuant à servir les enfants.*

SCÈNE 31

EXT. APRÈS-MIDI – RUE PRINCIPALE DU LOWER EAST SIDE

GROS PLAN sur un Billywig – une petite créature dotée d'ailes en forme de pales d'hélicoptère sur la tête – qui vole haut dans les airs.

TINA *et* NORBERT *marchent le long de la rue. C'est* TINA *qui porte la valise.*

TINA
(*au bord des larmes*)
Dire que vous n'avez même pas oublietté cet homme ! S'il y a une enquête, je suis fichue.

NORBERT
Pourquoi seriez-vous fichue ? C'est moi qui…

TINA
Je ne suis pas censée approcher les Fidèles de Salem.

Le Billywig vrombit au-dessus d'eux. NORBERT *fait volte-face et le regarde, horrifié.*

TINA
Qu'est-ce que c'était?

NORBERT

Euh, une mite, je crois. Une… grosse mite.

TINA *trouve cette explication peu convaincante. Ils tournent à l'angle d'un mur et voient une foule rassemblée devant un immeuble qui tombe en ruine. Des gens hurlent, d'autres évacuent précipitamment le bâtiment. Au milieu de la foule, un* POLICIER *est harcelé par des locataires mécontents.*

PLAN SUR PLAN :

NORBERT *et* TINA *contournent la cohue. Derrière, un* VAGABOND *éméché essaye d'attirer l'attention du* POLICIER.

LE POLICIER

Hé ! Hé ! Silence ! J'essaye de prendre une déposition…

UNE FEMME

Je vous dis que c'est encore une explosion de gaz. Mes enfants ne retourneront pas là-bas tant que ce sera dangereux.

LE POLICIER

Je regrette, madame, ça ne sent pas le gaz.

LE VAGABOND

(*ivre*)

C'était pas du gaz, monsieur l'agent, j'ai tout vu. C'était un… gigantesque… hippopo…

TINA *regarde l'immeuble délabré et ne voit pas que* NORBERT *a fait glisser de sa manche sa baguette magique qu'il pointe sur le* VAGABOND.

LE VAGABOND

… gaz. C'était le gaz.

Autour de lui, beaucoup de gens l'approuvent.

LA FOULE

Gaz… C'était le gaz.

TINA *aperçoit à nouveau le Billywig. Profitant de cet instant*

de distraction, NORBERT *se rue vers les marches métalliques et pénètre à l'intérieur de l'immeuble en ruine.*

SCÈNE 32

INT. APRÈS-MIDI – CHAMBRE DE JACOB

NORBERT *entre dans la chambre de* JACOB *et s'immobilise en contemplant le spectacle : la pièce est entièrement détruite. Des traces de piétinement, des meubles cassés, des débris de verre. Pire encore : un énorme trou dans le mur d'en face – quelque chose de très grand est sorti en cassant tout sur son passage. Dans un coin, on entend* JACOB *gémir.*

SCÈNE 33

EXT. APRÈS-MIDI – LA RUE OÙ SE TROUVE L'IMMEUBLE

RETOUR sur TINA *qui jette un coup d'œil autour d'elle et s'aperçoit que* NORBERT *a disparu.*

SCÈNE 34

INT. APRÈS-MIDI – CHAMBRE DE JACOB

NORBERT *s'est accroupi à côté de* JACOB *allongé sur le dos. Les yeux fermés, il gémit.* NORBERT *s'efforce d'examiner une petite morsure rouge sur le cou de* JACOB, *mais celui-ci, inconsciemment, le repousse.*

TINA
(*hors champ*)
Monsieur Dragonneau !

CUT sur TINA *qui monte quatre à quatre l'escalier de l'immeuble où* JACOB *a sa chambre.*

RETOUR sur NORBERT *qui lance fébrilement un sortilège de Réparation. La pièce est remise en ordre, le mur réparé, juste à temps avant que* TINA *n'entre.*

SCÈNE 35
INT. APRÈS-MIDI – CHAMBRE DE JACOB

TINA *se précipite à l'intérieur de la pièce et y trouve* NORBERT *qui est assis sur le lit, s'efforçant d'afficher un air flegmatique et innocent. D'un geste calme, il verrouille les fermoirs de sa valise.*

TINA
Elle était *ouverte* ?

NORBERT

Légèrement…

TINA

Ce maudit Niffleur est encore dans la nature ?

NORBERT

Euh… Ça se pourrait bien.

TINA

Alors cherchez-le ! Regardez !

JACOB *gémit.*

TINA *laisse tomber la valise de* JACOB *et se précipite sur lui.*

TINA

(*s'inquiétant de l'état de* JACOB)

Il est blessé ! Il saigne au cou. Réveillez-vous, monsieur Non-Maj.

Profitant de ce que TINA *lui tourne le dos,* NORBERT *s'approche de la porte. Mais soudain,* TINA *émet un cri guttural*

lorsque le Murlap, sortant de sous une armoire, s'accroche à son bras. NORBERT *fait volte-face. Il saisit la créature par la queue et la force à retourner dans la valise.*

TINA
Nom d'un hibou, qu'est-ce que c'est que ça ?

NORBERT
Rien d'inquiétant. C'est un Murlap.

Sans que les deux autres s'en aperçoivent, JACOB *ouvre les yeux.*

TINA
Qu'est-ce que vous avez d'autre là-dedans ?

JACOB
(*reconnaissant* NORBERT)
Vous ?

NORBERT
Bonjour.

TINA

Doucement, monsieur euh…

JACOB

Kowalski… Jacob…

TINA *prend la main de* JACOB *pour la lui serrer.*

NORBERT *lève sa baguette magique.* JACOB, *apeuré, se ramasse sur lui-même, se cramponnant à* TINA *qui se place devant lui pour le protéger.*

TINA

Non, ne l'oubliettez surtout pas. Il doit
nous servir de témoin.

NORBERT

Non mais, vous m'avez crié dessus
à travers tout New York parce que
je ne l'avais pas oublietté.

TINA

Il est blessé. Il n'est pas en état.

NORBERT

Ça va aller. Les morsures de Murlap ne sont pas dangereuses.

NORBERT *range sa baguette.* JACOB, *dans son coin, est pris de haut-le-cœur tandis que* TINA *regarde* NORBERT *d'un air incrédule.*

NORBERT

Oui, j'admets que la réaction est légèrement plus violente que d'ordinaire. Mais si c'était vraiment sérieux, il aurait…

TINA

Quoi ?

NORBERT

Des flammes lui sortiraient de l'anus. Ce serait le premier symptôme.

Terrifié, JACOB *passe la main sur le fond de son pantalon.*

TINA

Nous voilà bien, tiens !

NORBERT

Ça durera quarante-huit heures tout au plus. Je le garde avec moi, si vous voulez.

TINA

Oh, le garder ! On ne les garde pas ! Monsieur Dragonneau, vous connaissez *un peu* la communauté des sorciers d'Amérique ?

NORBERT

Je sais deux, trois choses. Je sais que vous avez des lois plutôt rétrogrades sur les relations avec les Non-Magiques. Vous ne devez pas devenir amis avec eux. Ni les épouser, ce qui est quelque peu absurde à mon sens.

JACOB *écoute la conversation, bouche bée.*

TINA

Qui l'épouserait, lui ? Vous venez tous les deux avec moi.

NORBERT

Je ne vois pas pourquoi je dois venir avec vous.

TINA *essaye de soulever* JACOB *à demi inconscient.*

TINA

Aidez-moi.

NORBERT *se sent obligé de l'aider.*

JACOB

Je rêve, hein, c'est ça ? Oui… Je suis fatigué. Je suis jamais allé à la banque. Ce n'est qu'un affreux cauchemar, hein ?

TINA

Pour nous deux, monsieur Kowalski.

TINA *et* NORBERT *transplanent en compagnie de* JACOB.

La caméra cadre la photo de la grand-mère de JACOB, *de nouveau accrochée au mur. La photo se met alors à trembler légèrement et tombe, révélant un trou dans le mur, où s'est réfugié le Niffleur.*

SCÈNE 36

EXT. APRÈS-MIDI – QUARTIER DE L'UPPER EAST SIDE, NEW YORK

Un jeune garçon tenant fermement une sucette est emmené par son père le long d'une rue animée. Lorsqu'ils passent devant une brouette chargée de fruits, une pomme se met soudain à léviter et suit l'enfant en sautillant dans les airs.

Le garçon, stupéfait, voit la pomme se faire manger par quelque chose d'invisible, mais son sourire disparaît quand une main tout aussi invisible lui arrache sa sucette.

À la devanture d'un kiosque à journaux, une dame qui figure sur une publicité cligne soudain des yeux. Les contours d'une créature deviennent visibles, façon camouflage, puis se détachent de l'affiche. La créature, à nouveau invisible, s'avance dans la rue, repérable uniquement par la sucette qu'elle tient et qui semble suspendue dans les airs. Un chien aboie dans sa direction et la créature file droit devant elle, renversant des présentoirs de journaux, provoquant des embardées de voitures et de vélos.

PLAN sur le toit d'un grand magasin : on voit une queue mince et bleue se faufiler par une lucarne. Brusquement, l'immeuble se met à trembler et des tuiles se détachent du toit à mesure que la créature enfle jusqu'à remplir entièrement la pièce où elle est entrée.

SCÈNE 37

INT. CRÉPUSCULE – SALLE DE PRESSE DE LA SHAW TOWER

Le siège Art déco étincelant d'un empire de presse. De nombreux journalistes s'affairent dans un vaste espace de bureaux.

Les portes d'un ascenseur s'ouvrent et LANGDON SHAW *traverse la salle d'un air surexcité, à la tête des Fidèles de Salem. Il porte des plans de la ville, plusieurs vieux livres et une liasse de photos.*

MARY LOU *est très calme,* CHASTETÉ *semble timide et* MODESTIE *enthousiaste, curieuse de tout.* CROYANCE, *lui, est visiblement nerveux – il n'aime pas la foule.*

LANGDON

Et voici la salle de rédaction.

LANGDON *se tourne vers eux, avide de leur montrer qu'il dispose d'une certaine autorité en ces lieux.*

LANGDON

Allons-y.

LANGDON *s'avance parmi les bureaux, s'adressant à certains employés.*

LANGDON

Bonjour. Ça va ? Laissez passer la famille Bellebosse. Là, ils sont en train de boucler, comme ils disent.

Quelques journalistes cachent difficilement leur amusement alors que LANGDON *mène ses visiteurs vers une double porte, au fond de la salle. L'assistant de* HENRY SHAW SENIOR – BARKER – *se lève, inquiet.*

BARKER

Monsieur Shaw. Bonjour. Il est avec le sénateur.

LANGDON

Ça m'est égal, Barker. Je veux voir mon père.

LANGDON *lui passe devant.*

SCÈNE 38
INT. CRÉPUSCULE – BUREAU DE SHAW SENIOR, AU DERNIER ÉTAGE

Un grand bureau, très imposant, avec une vue spectaculaire sur toute la ville. HENRY SHAW SENIOR *– le magnat de la presse – s'entretient avec son fils aîné,* LE SÉNATEUR SHAW.

LE SÉNATEUR SHAW
… on pourrait acheter les bateaux…

La double porte s'ouvre à la volée, laissant voir un BARKER *accablé et un* LANGDON *tout excité.*

BARKER
Excusez-moi, monsieur Shaw, votre fils a insisté.

LANGDON

Père, il faut que tu écoutes ça.

LANGDON *s'avance vers le bureau de son père et y étale des photos. On reconnaît sur certaines images les rues détruites au début du film.*

LANGDON

J'ai quelque chose d'énorme !

SHAW SENIOR

Ton frère et moi sommes occupés, Langdon. Nous travaillons sur sa campagne électorale. Nous n'avons pas le temps.

MARY LOU, CROYANCE, CHASTETÉ *et* MODESTIE *entrent à leur tour dans le bureau.* SHAW SENIOR *et* LE SÉNATEUR SHAW *les observent.* CROYANCE, *la tête baissée, semble embarrassé, mal à l'aise.*

LANGDON

Je te présente Mary Lou Bellebosse,

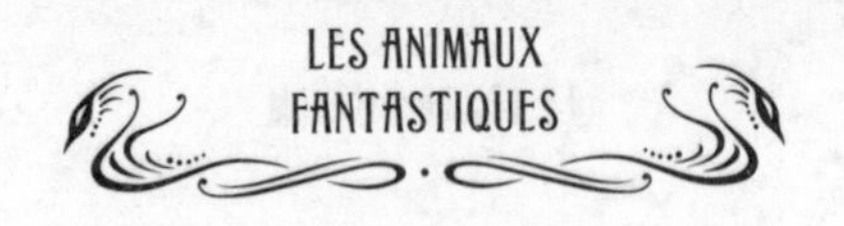

de la Ligue des Fidèles de Salem.
Elle a une exclusivité pour toi !

SHAW SENIOR

Ah, oui ? Tiens donc ?

LANGDON

Des phénomènes étranges se multiplient en ville. Les gens qui sont derrière tout ça ne sont pas comme toi et moi. C'est de la sorcellerie. Tu ne vois pas ?

SHAW SENIOR *et* LE SÉNATEUR SHAW *ont l'air dubitatifs, trop habitués aux lubies de* LANGDON *qu'ils considèrent comme un écervelé.*

SHAW SENIOR

Langdon.

LANGDON

Elle ne veut pas d'argent.

SHAW SENIOR

Dans ce cas, soit son histoire ne vaut rien, soit elle a menti sur le prix. Personne ne dévoile gratuitement une information précieuse.

MARY LOU

(*sûre d'elle, persuasive*)

Vous avez raison, monsieur Shaw. Ce que nous désirons est infiniment plus précieux qu'une somme d'argent. C'est votre influence. Des millions de gens lisent vos journaux, il faut absolument les informer de ce danger.

LANGDON

Les incidents bizarres dans le métro. Regarde les photos.

SHAW SENIOR

J'aimerais que toi et tes amis vous sortiez.

LANGDON

Non. Tu… tu ne vois pas ce que ça cache. Rends-toi à l'évidence !

SHAW SENIOR

Vraiment ?

LE SÉNATEUR SHAW

(*rejoignant son père et son frère*)

Langdon, écoute papa. Va-t'en.

Son regard se pose alors sur CROYANCE.

LE SÉNATEUR SHAW

Et emmène ta clique de dégénérés.

On voit CROYANCE *tressaillir. Il est perturbé par cette manifestation de colère près de lui.* MARY LOU, *elle, reste calme mais déterminée.*

LANGDON

C'est le bureau de papa, pas le tien ! J'en ai assez ! À chaque fois que je viens ici…

SHAW SENIOR *impose le silence à son fils et fait signe à la* FAMILLE BELLEBOSSE *de quitter les lieux.*

SHAW SENIOR

Ça suffit. Merci.

MARY LOU

(*calme et digne*)

Nous espérons que vous changerez d'avis, monsieur Shaw. Nous ne sommes pas difficiles à trouver. En attendant, merci de nous avoir reçus.

SHAW SENIOR *et* LE SÉNATEUR SHAW *regardent* MARY LOU *tourner les talons pour sortir du bureau en emmenant ses enfants. Le silence est tombé dans la salle de presse. Chacun tend le cou pour essayer d'entendre la dispute.*

En partant, CROYANCE *laisse tomber un tract.* LE SÉNATEUR SHAW *s'avance et se penche pour le ramasser. Il jette un coup d'œil aux sorcières qui figurent sur la première page.*

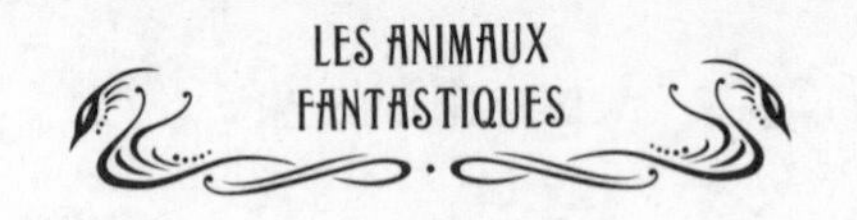

LE SÉNATEUR SHAW
(*à* CROYANCE)
Hé, petit ! Tu as fait tomber quelque chose.

LE SÉNATEUR SHAW *froisse le tract avant de le remettre dans la main de* CROYANCE.

LE SÉNATEUR SHAW
Tiens, dégénéré. Va jeter ça à la poubelle, là d'où vous venez toi et ta famille.

Les yeux de MODESTIE *flamboient. Elle prend* CROYANCE *par la main dans un geste protecteur.*

SCÈNE 39

EXT. CRÉPUSCULE – UNE RUE BORDÉE DE BÂTIMENTS AUX FAÇADES ROUGE-BRUN, QUELQUES INSTANTS PLUS TARD

TINA *et* NORBERT, *de chaque côté de* JACOB, *s'efforcent de le maintenir debout.*

TINA

C'est à droite.

JACOB *émet des bruits gutturaux. De toute évidence, la morsure à son cou l'affecte de plus en plus.*

Au moment où le trio tourne à l'angle d'une rue, TINA *les pousse précipitamment derrière un gros camion. Ainsi cachée, elle observe une maison située en face.*

TINA

Bien. Avant d'entrer, il faut que vous sachiez que je ne suis pas censée amener des hommes dans l'appartement.

NORBERT

Dans ce cas, M. Kowalski et moi pourrons facilement trouver un autre hébergement.

TINA

Hors de question.

TINA *saisit aussitôt* JACOB *par le bras et l'entraîne de l'autre côté de la rue.* NORBERT *se fait un devoir de les suivre.*

TINA

Attention.

SCÈNE 40
INT. CRÉPUSCULE – MAISON OÙ VIVENT LES GOLDSTEIN, L'ESCALIER

NORBERT, TINA *et* JACOB *montent les marches sur la pointe des pieds. Ils viennent d'atteindre le palier du premier étage*

lorsque MME ESPOSITO, *la logeuse, se manifeste. Le trio s'immobilise.*

MME ESPOSITO
(*hors champ*)
C'est vous, Tina ?

TINA
Oui, madame Esposito.

MME ESPOSITO
(*hors champ*)
Vous êtes seule ?

TINA
Je suis toujours seule,
madame Esposito !

Un temps.

SCÈNE 41
INT. CRÉPUSCULE – APPARTEMENT DES GOLDSTEIN, LE SALON

Le trio entre dans l'appartement des Goldstein.

Bien qu'il soit pauvre d'aspect, l'appartement est égayé par la magie quotidienne. Dans un coin, un fer à repasser s'actionne tout seul et, devant un feu de cheminée, un séchoir à linge tourne maladroitement de lui-même sur ses pieds en bois pour sécher un assortiment de sous-vêtements. Des magazines sont éparpillés un peu partout : L'Ami des sorcières, Paroles de sorcières *et* Le Mensuel de la métamorphose.

Vêtue d'une combinaison de soie, la blonde QUEENIE, *la plus belle femme qui ait jamais porté un habit de sorcière, est occupée à raccommoder une robe passée sur un mannequin de couturière.* JACOB *est ébahi.*

NORBERT, *lui, fait à peine attention à ce qui se passe. Impatient de repartir aussi vite que possible, il regarde par la fenêtre.*

QUEENIE
Tina… Tu as amené des hommes.

TINA

Messieurs, voici ma sœur. Tu peux t'habiller, Queenie ?

QUEENIE

(*indifférente*)

Oh ! Bien sûr.

Elle passe sa baguette magique sur le mannequin et la robe se glisse magiquement sur elle. JACOB *contemple le spectacle avec stupéfaction.*

TINA, *contrariée, entreprend de faire le ménage dans l'appartement.*

QUEENIE

Alors ? Qui est-ce ?

TINA

M. Dragonneau. Il a commis une grave infraction au Code national du secret magique.

QUEENIE
(*impressionnée*)
C'est un criminel ?

TINA
Mm, mm. Et voici M. Kowalski. C'est un Non-Maj…

QUEENIE
(*soudain alarmée*)
Un Non-Maj ? Qu'est-ce que tu traficotes ?

TINA
Il est souffrant. C'est une longue histoire. M. Dragonneau a perdu quelque chose. Je vais l'aider à le retrouver.

Tout à coup, JACOB, *en sueur, vacille, pris de malaise.*

QUEENIE *se précipite sur lui et* TINA *s'interrompt, également inquiète.*

QUEENIE
(*alors que* JACOB *s'affale sur un canapé*)
Il faut vous asseoir, mon chou…
(*lisant dans ses pensées*)
… il n'a rien mangé de la journée !
Et…
(*lisant dans ses pensées*)
… ooooh, c'est dur.
(*lisant dans ses pensées*)
… Il n'a pas eu le prêt qu'il voulait
pour sa boulangerie. Vous êtes
boulanger ? J'adore cuisiner.

Toujours devant la fenêtre, NORBERT *observe* QUEENIE, *son attention de savant soudain éveillée.*

NORBERT
Vous êtes une legilimens ?

QUEENIE
Mm, mm. Oui. Mais j'ai toujours
du mal avec vous, les Anglais.
C'est l'accent.

JACOB
(*effaré, il comprend*)
Vous lisez dans les pensées ?

QUEENIE
Ha ! Rassurez-vous, trésor. La plupart des hommes pensent comme vous la première fois qu'ils me voient.

QUEENIE *s'amuse à pointer sa baguette magique sur* JACOB.

QUEENIE
Maintenant, il faut vous nourrir.

NORBERT *regarde par la fenêtre et voit un Billywig passer en volant – très nerveux, il a hâte de sortir pour retrouver ses créatures.*

TINA *et* QUEENIE *s'affairent dans la cuisine. Des ingrédients sortent des placards en flottant dans les airs, ensorcelés par* QUEENIE *qui prépare le repas. Des carottes et des pommes se découpent d'elles-mêmes, de la pâte se roule toute seule, des casseroles remuent leur contenu de leur propre chef.*

QUEENIE

(*à* TINA)

Un hot dog ? Encore ?

TINA

Ne lis pas dans mes pensées.

QUEENIE

C'est pas un repas très équilibré.

TINA *pointe sa baguette magique vers les placards. Des assiettes, des couverts assortis et des verres en sortent en volant et se disposent sur la table, animés par les petits coups de baguette de* TINA. JACOB, *moitié fasciné, moitié terrifié, s'approche de la table d'un pas vacillant.*

PLAN DE COUPE de NORBERT, *la main sur la poignée de la porte.*

QUEENIE

(*sans façons*)

Dites, monsieur Dragonneau, vous
préférez la tarte ou le strudel ?

Tout le monde regarde NORBERT *qui, mal à l'aise, lâche la poignée de la porte.*

NORBERT

Je n'ai pas vraiment de préférence.

TINA *fixe* NORBERT *du regard : hostile mais aussi déçue et blessée.*

JACOB *est déjà assis à la table. Il accroche sa serviette au col de sa chemise.*

QUEENIE

(*lisant dans les pensées de* JACOB)

Vous, vous préférez le strudel, hein, trésor ? Et un strudel !

JACOB *approuve d'un signe de tête enthousiaste.* QUEENIE, *ravie, lui répond par un sourire.*

D'un petit coup de sa baguette magique, QUEENIE *projette raisins secs, pommes et pâte dans les airs. Tous ces ingrédients s'assemblent d'eux-mêmes pour constituer un gâteau cylindrique d'une forme bien nette, avec des décorations à sa*

surface et un saupoudrage de sucre. JACOB *prend une profonde inspiration : c'est le paradis.*

TINA *allume des chandelles sur la table – le repas est prêt.*

GROS PLAN sur la poche de NORBERT. *On entend un petit couinement et* PICKETT *sort sa tête, l'air curieux.*

TINA

Asseyez-vous, monsieur Dragonneau.
On ne va pas vous empoisonner.

NORBERT, *toujours près de la porte, semble d'une certaine manière charmé par la situation.* JACOB *lui lance discrètement un regard pour l'inviter à venir s'asseoir à son tour.*

SCÈNE 42
EXT. NUIT – BROADWAY

CROYANCE *marche seul dans une foule de noctambules qui ne pensent qu'à s'amuser, des amateurs de restaurants et de théâtres. Dans le rugissement de la circulation, il essaye de distribuer des tracts, mais ne rencontre qu'incrédulité et une légère moquerie.*

Le Woolworth Building se dessine devant lui. CROYANCE *le regarde avec une certaine envie.* GRAVES, *qui se trouve à l'extérieur du bâtiment, observe* CROYANCE *d'un regard intense.* CROYANCE *l'aperçoit et une lueur d'espoir anime aussitôt son visage. Totalement envoûté, il avance dans sa direction, sans faire très attention à ce qui se passe sur son chemin – il oublie tout le reste.*

SCÈNE 43
EXT. NUIT – UNE RUELLE

CROYANCE, *la tête baissée, se trouve au bout d'une ruelle mal éclairée.* GRAVES *le rejoint, s'approchant tout près pour lui murmurer, d'un ton de conspirateur :*

GRAVES

Tu es contrarié. Encore à cause de
ta mère. Quelqu'un t'a mal parlé.
Qu'est-ce qu'on t'a dit ? Dis-moi.

CROYANCE

Est-ce que je suis un dégénéré ?

GRAVES

Non. Tu es un jeune homme très particulier, autrement je ne t'aurais pas demandé de m'aider, tu es d'accord ?

Un temps. GRAVES *pose une main sur le bras de* CROYANCE. *Ce contact humain le fait tressaillir et le fascine également.*

GRAVES

As-tu du nouveau ?

CROYANCE

Je cherche encore. Monsieur Graves, si je savais si c'est une fille ou un garçon…

GRAVES

Ma vision ne m'a montré que l'immense pouvoir de l'enfant. Il ou elle n'a pas plus de dix ans. J'ai vu cet enfant dans l'entourage proche de

ta mère. Elle, je l'ai vue très
distinctement.

CROYANCE
Il y en a tellement. Ça peut être
n'importe lequel.

Le ton de GRAVES *s'adoucit. Il se fait réconfortant, charmeur.*

GRAVES
Il y a autre chose. Quelque chose que
je ne t'ai pas dit. Je t'ai vu à mes côtés
à New York. Tu es celui qui gagne
la confiance de cet enfant. Tu es la clé.
Je l'ai vu. Tu veux intégrer le monde
des sorciers. Je le souhaite aussi,
Croyance. Je le souhaite pour toi.
Alors trouve l'enfant. Trouve l'enfant
et nous serons tous libres.

SCÈNE 44

INT. NUIT – APPARTEMENT DES GOLDSTEIN, LE SALON, UNE DEMI-HEURE PLUS TARD

Le fermoir de la valise de NORBERT *s'ouvre à nouveau.* NORBERT *se penche et le remet en place.*

JACOB *se sent un peu mieux après avoir mangé.* QUEENIE *et lui s'entendent à merveille.*

QUEENIE
Mon travail n'est pas très palpitant.
Je passe la plupart de mes journées
à faire du café. À désenvoûter les
waters. C'est Tina qui a un vrai métier.
(*elle lit dans ses pensées*)
Non, on est orphelines. Maman
et papa sont morts de la dragoncelle
quand on était petites. Oooh…
(*lisant dans ses pensées*)
Vous êtes gentil. Mais on s'entraide
toutes les deux.

JACOB

Vous pourriez arrêter de lire dans mes pensées une minute ? Mais ne vous méprenez pas – j'adore ça.

QUEENIE *pouffe de rire, ravie, captivée par* JACOB.

JACOB

Ce repas est un vrai régal. C'est mon métier – je suis cuisinier. Et c'est... le meilleur repas que j'aie fait de toute ma vie.

QUEENIE

(*riant*)

Oh, ce que vous me faites rire ! J'avais jamais parlé avec un Non-Maj avant vous.

JACOB

C'est vrai ?

QUEENIE *et* JACOB *se fixent du regard.* NORBERT *et* TINA

sont assis face à face, dans un silence gêné devant une telle manifestation d'affection.

QUEENIE
(*à* TINA)
Je ne flirte pas.

TINA
(*embarrassée*)
Je dis seulement… qu'il ne faut pas t'attacher, Queenie. Il va falloir l'oublietter.
(*à* JACOB)
N'y voyez rien de personnel.

JACOB *redevient soudain très pâle et se remet à transpirer tout en s'efforçant de ne rien laisser paraître à* QUEENIE.

QUEENIE
(*à* JACOB)
Oh ! Hé, ça va, mon chou ?

NORBERT *se lève brusquement de table et reste debout derrière sa chaise, l'air gauche.*

NORBERT

Mademoiselle Goldstein, je crois que M. Kowalski ferait mieux de se coucher tôt. Et puis, nous devons nous lever de bonne heure demain pour chercher mon Niffleur, donc…

QUEENIE

(*à* TINA)

C'est quoi un Niffleur ?

TINA *semble contrariée.*

TINA

Évite le sujet.

(*se dirigeant vers le fond de l'appartement*)

Vous pouvez dormir ici, messieurs.

SCÈNE 45

INT. NUIT – APPARTEMENT DES GOLDSTEIN, UNE CHAMBRE À COUCHER

Les deux hommes sont installés dans des lits jumeaux impeccablement préparés. NORBERT *se tourne résolument sur le côté, dos à* JACOB, *tandis que celui-ci est assis dans le lit, essayant de comprendre un livre de sorcellerie.*

TINA, *vêtue d'un pyjama bleu à motifs, frappe timidement à la porte et entre, portant un plateau sur lequel sont disposées des tasses de chocolat chaud. Une cuillère tourne toute seule dans chaque tasse pour remuer le chocolat. Encore une fois,* JACOB *est fasciné.*

TINA

J'ai pensé que vous aimeriez une boisson chaude.

TINA *tend précautionneusement une tasse à* JACOB. NORBERT *continue de leur tourner le dos en faisant semblant de dormir.* TINA, *un peu contrariée, pose résolument sur la table de chevet la tasse qui lui est destinée.*

JACOB

Hé, monsieur Dragonneau…
(*à* NORBERT, *essayant de le dérider*)
… du chocolat chaud !

NORBERT *ne bouge pas.*

TINA
(*agacée*)

Les toilettes sont au fond du couloir à droite.

JACOB

Merci.

Lorsque TINA *referme la porte,* JACOB *aperçoit brièvement* QUEENIE *dans l'autre pièce. Elle est vêtue d'une robe de chambre moins convenable que la tenue de sa sœur.*

JACOB

Merci beaucoup.

Au moment où la porte se ferme, NORBERT *se redresse d'un bond, portant toujours son pardessus. Il pose sa valise par*

terre. À la grande stupéfaction de JACOB, *il ouvre la valise et s'y introduit tout entier, disparaissant complètement.*

JACOB *laisse échapper un léger cri de peur.*

La main de NORBERT *sort de la valise et adresse un signe impérieux à* JACOB. *Celui-ci la regarde fixement, la respiration précipitée, essayant de comprendre la situation.*

La main de NORBERT *apparaît à nouveau, avec un geste d'impatience.*

NORBERT
(*hors champ*)

Venez.

JACOB *reprend ses esprits, sort du lit et descend à son tour dans la valise de* NORBERT. *Il reste cependant coincé au niveau de la taille, essayant de passer à tout prix. Ses efforts font sauter la valise.*

JACOB

Purée de…

Enfin, après une dernière tentative contrariée, JACOB *disparaît soudain dans la valise dont le couvercle se referme d'un coup sec.*

SCÈNE 46

INT. NUIT – DANS LA VALISE DE NORBERT, UN INSTANT PLUS TARD

JACOB *tombe au pied d'un escalier, à l'intérieur de la valise, se cognant dans sa chute contre divers objets, instruments et flacons.*

Il se retrouve dans une petite cabane en bois qui contient un lit de camp, un attirail pour climats tropicaux et une collection d'outils accrochés aux murs. Des placards en bois sont remplis de cordes, de filets et de bocaux destinés à recueillir des échantillons. Une très vieille machine à écrire, une pile de manuscrits et un bestiaire médiéval sont posés sur un bureau. Des plantes en pot s'alignent sur une étagère. Des rangées de comprimés, de cachets, de seringues et de fioles constituent une sorte d'armoire à pharmacie. Des cartes géographiques, diverses notes, des dessins et des photographies animées représentant des créatures extraordinaires sont épinglés aux murs. Une carcasse desséchée est pendue à un crochet. Plusieurs sacs de nourriture sont posés par terre.

NORBERT

(*avec un coup d'œil vers* JACOB)

Je vous en prie, asseyez-vous.

JACOB *se laisse tomber sur une caisse portant, écrite à la main, la mention « Croquettes pour Veaudelunes ».*

JACOB

Oui, bonne idée.

NORBERT *s'avance pour examiner la morsure au cou de* JACOB *– il y jette un regard rapide.*

NORBERT

C'est bel et bien une morsure
de Murlap. Vous devez être
particulièrement sensible. Vous êtes
un Moldu, donc votre physiologie
est légèrement différente.

NORBERT *s'affaire dans son laboratoire, mélangeant des plantes et le contenu de divers flacons pour fabriquer un cataplasme qu'il applique aussitôt sur le cou de* JACOB.

JACOB

Beurk.

NORBERT

Restez tranquille. Voilà. Ça devrait
arrêter les suées.
(*lui tendant des cachets*)
Et le comprimé devrait empêcher les
spasmes.

JACOB *regarde d'un air suspicieux les cachets dans sa main. Enfin, décidant qu'il n'a rien à perdre, il les avale.*

PLAN sur NORBERT *qui a maintenant enlevé son gilet, dénoué son nœud papillon et fait tomber ses bretelles. Il prend un couperet et tranche des morceaux de viande arrachés à une grande carcasse avant de les jeter dans un seau.*

NORBERT
(*tendant le seau à* JACOB)
Prenez ça.

JACOB *paraît dégoûté, mais* NORBERT *ne le remarque pas, son attention étant à présent concentrée sur un cocon épineux qu'il se met à presser lentement. Le cocon sécrète alors un venin lumineux que* NORBERT *recueille dans une fiole.*

NORBERT
(*au cocon*)
Allez…

JACOB
Qu'est-ce que c'est ?

NORBERT

Dans son pays d'origine, on l'appelle le Démonzémerveille. Un nom qui en dit long. Il est très vif, l'animal.

Comme pour faire une démonstration, NORBERT *secoue le cocon qui se déroule en pendant élégamment au bout de son doigt.*

NORBERT

Je l'ai étudié et je suis certain que son venin pourrait être très utile s'il était bien dilué. Ne serait-ce que pour effacer les mauvais souvenirs.

Brusquement, NORBERT *lance le Démonzémerveille à* JACOB. *La créature surgit de son cocon – colorée, hérissée, semblable à une chauve-souris. Elle se met à voleter devant le nez de* JACOB, *puis* NORBERT *la rappelle.* JACOB *se recroqueville d'un air dramatique. C'est manifestement le genre de plaisanterie qu'affectionne* NORBERT…

NORBERT
(*souriant pour lui-même*)
Mais mieux vaut éviter de le lâcher ici.

NORBERT *ouvre la porte de sa cabane et sort.*

NORBERT
Venez.

JACOB, *à présent complètement désorienté, le suit au-dehors.*

SCÈNE 47
INT. JOUR – VALISE DE NORBERT, DANS LA ZONE RÉSERVÉE AUX ANIMAUX

Le périmètre de la valise de cuir est tout juste visible, mais l'endroit est maintenant aussi vaste qu'un petit hangar à avions et contient ce qui ressemble à un parc animalier en

miniature. Chacune des créatures de NORBERT *dispose de son propre habitat aménagé à la perfection par des procédés magiques.*

Totalement stupéfait, JACOB *pénètre dans ce monde.*

NORBERT *se trouve maintenant dans l'habitat le plus proche – on dirait un morceau du désert de l'Arizona. C'est là qu'habite* FRANK, *un magnifique Oiseau-Tonnerre – une créature semblable à un grand albatros, ses ailes splendides luisant de motifs évoquant un mélange de soleil et de nuages. L'une de ses pattes porte une plaie sanglante, à vif – de toute évidence, il était enchaîné avant d'arriver ici. Lorsque* FRANK *agite ses ailes, une pluie torrentielle s'abat aussitôt, accompagnée de tonnerre et d'éclairs. À l'aide de sa baguette,* NORBERT *fait apparaître un parapluie magique qui le protège de l'averse.*

NORBERT
(*levant les yeux vers* FRANK,
haut dans les airs)
Allez… allez… Descends. Approche.

Lentement, FRANK *se calme et descend se poser sur un gros rocher, face à* NORBERT. *La pluie diminue alors, bientôt remplacée par un soleil brillant et brûlant.*

NORBERT *range sa baguette et sort de sa poche une poignée de choses à manger.* FRANK *l'observe d'un regard intense.*

De sa main libre, NORBERT *caresse* FRANK *avec affection, s'efforçant de l'apaiser.*

NORBERT

Oh, loué soit Paracelse. Si tu étais sorti, ça aurait été une véritable catastrophe.

(*à* JACOB)

C'est pour lui que je suis ici. Pour ramener Frank chez lui.

JACOB, *le regard fixe, s'avance lentement.* FRANK *réagit en battant des ailes, soudain agité.*

NORBERT

(*à* JACOB)

Attendez. Non, ne bougez pas. Il est un peu méfiant avec les étrangers.

(*à* FRANK, *le calmant*)
Là, doucement. Doucement.
(*à* JACOB)
Il a été victime d'un trafic. Je l'ai trouvé en Égypte. Il était enchaîné. Je ne pouvais pas le laisser là-bas. Il fallait que je le ramène. Je vais te ramener là où est ta place, hein, Frank ? Les vastes étendues de l'Arizona.

NORBERT, *avec une expression d'espoir qui illumine son visage, serre contre lui la tête de* FRANK. *Puis, souriant largement, il jette en l'air la nourriture qu'il tient dans sa main.* FRANK *s'élève majestueusement pour attraper les morceaux en vol, une lumière solaire jaillissant de ses ailes.*

Avec amour et fierté, NORBERT *le suit des yeux. Puis il se tourne vers une autre partie du décor et porte ses mains à sa bouche, émettant un rugissement de bête sauvage.*

NORBERT *passe devant* JACOB *et saisit le seau de viande.* JACOB *trébuche derrière lui tandis que plusieurs Doxys bourdonnent autour de sa tête.* JACOB, *étourdi, agite les mains*

pour les éloigner. Derrière lui, un énorme scarabée roule une bouse géante.

On entend NORBERT *rugir à nouveau.* JACOB *se précipite vers l'origine du son et se retrouve devant* NORBERT, *dans un paysage sablonneux, éclairé par la lune.*

NORBERT
(*dans un murmure*)
Ah, les voilà.

JACOB
Qui ça, « les voilà » ?

NORBERT
Les Grapcornes.

Une créature massive surgit au pas de charge : c'est un Grapcorne. Il a la taille d'un tigre à dents de sabre et des tentacules visqueux de chaque côté de la gueule. JACOB *pousse un cri et essaye de battre en retraite, mais* NORBERT *l'immobilise en l'attrapant par le bras.*

NORBERT

Non. N'ayez pas peur. Tout va bien.

Le Grapcorne s'approche de NORBERT.

NORBERT

(*caressant le Grapcorne*)

Bonjour, bonjour.

Les étranges tentacules visqueux se posent sur les épaules de NORBERT, *comme s'ils l'étreignaient.*

NORBERT

C'est le dernier couple qui existe.
Si je n'avais pas réussi à les sauver,
les Grapcornes auraient disparu
à tout jamais.

Un Grapcorne plus jeune s'avance droit vers JACOB *d'un petit pas rapide et se met à lui lécher la main, en tournant autour de lui d'un air intrigué.* JACOB *regarde la créature puis tend doucement le bras et lui caresse la tête.* NORBERT, *très content, observe* JACOB.

NORBERT

Allez !

NORBERT *jette par terre un morceau de viande sur lequel le jeune Grapcorne se précipite pour l'avaler.*

JACOB

Comment ? Vous… vous sauvez ces créatures ?

NORBERT

Oui, en effet. Je les sauve, les soigne et les protège. Et j'essaye tout doucement de les faire connaître aux autres sorciers.

Un minuscule oiseau d'un rose vif, un Focifère, arrive en volant et atterrit sur un petit perchoir suspendu dans les airs.

NORBERT *se dirige vers une petite volée de marches.*

NORBERT

(*à* JACOB)

Venez.

Ils pénètrent dans une forêt de bambous, se baissant et plongeant sous les branches des arbres. NORBERT *lance un appel.*

NORBERT

Titus, Finn, Poppy, Marlow, Tom !

Ils arrivent dans une petite clairière illuminée par le soleil. NORBERT *sort* PICKETT *de sa poche et le tient perché sur sa main.*

NORBERT

(*à* JACOB)

Il avait attrapé froid. Il lui fallait de la chaleur corporelle.

JACOB

Oooh !

Ils s'avancent vers un petit arbre baigné de soleil. À leur approche, une tribu de Botrucs se met à jacasser et jaillit d'entre les feuilles.

NORBERT *tend le bras vers l'arbre, essayant de convaincre*

PICKETT *de rejoindre les autres. Les Botrucs émettent des claquements sonores lorsqu'ils voient* PICKETT.

NORBERT

Bien. Allez, grimpe !

PICKETT *refuse obstinément de quitter le bras de* NORBERT.

NORBERT

(*à* JACOB)

Il a du mal à couper le cordon.

(*à* PICKETT)

S'il te plaît, Pickett. Pickett. Non, ils ne vont pas t'embêter. Allez. Pickett.

De sa main gracile, PICKETT *se cramponne à un doigt de* NORBERT, *dans un effort désespéré pour ne pas retourner dans l'arbre.* NORBERT *finit par se résigner.*

NORBERT

Voilà. Tu vois, c'est pour ça qu'ils m'accusent de faire du favoritisme.

NORBERT *pose* PICKETT *sur son épaule et tourne les talons.*

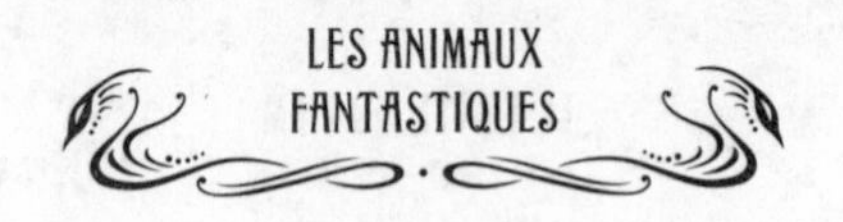

En voyant un grand nid rond et vide, il a soudain l'air inquiet.

NORBERT

Je me demande où Dougal s'est sauvé.

Des pépiements s'élèvent alors d'un nid voisin.

NORBERT

Voilà, voilà. J'arrive. J'arrive. Maman est là. Maman est là.

NORBERT *plonge la main dans le nid et en sort un bébé Occamy.*

NORBERT

Oh, bonjour. Attendez que je vous regarde.

JACOB

Je les connais, ceux-là.

NORBERT

Nouvel Occamy.

(*à* JACOB)

Votre Occamy.

JACOB

Comment ça, mon Occamy ?

NORBERT

Oui. Vous voulez…

NORBERT *tend l'Occamy à* JACOB.

JACOB

Oui, bien sûr. Donnez. Ah, ah.

JACOB *prend délicatement entre ses mains la créature qui vient de naître et la regarde fixement. Lorsqu'il fait un geste pour le caresser, l'Occamy essaye de le mordre.* JACOB *a un mouvement de recul.*

NORBERT

Oh, désolé, ne le caressez pas. Ils apprennent à se défendre très jeunes. La coquille de leurs œufs est en argent, alors ils sont extrêmement précieux.

NORBERT *donne à manger aux autres petits, dans le nid.*

JACOB

D'accord…

NORBERT

Leurs nids sont souvent pillés par
les chasseurs.

NORBERT, *ravi de voir l'intérêt que* JACOB *porte à ses créatures, reprend le petit Occamy et le remet dans le nid.*

JACOB

Merci.

(*d'une voix rauque*)

Monsieur Dragonneau ?

NORBERT

Appelez-moi Norbert.

JACOB

Norbert. Je ne pense pas que je rêve.

NORBERT
(*vaguement amusé*)
Comment avez-vous deviné?

JACOB
Je suis incapable d'imaginer tout ça.

NORBERT *regarde* JACOB, *à la fois intrigué et flatté.*

NORBERT
Vous voulez bien distribuer ces
croquettes aux Veaudelunes, là-bas ?

JACOB
Tout de suite.

JACOB *se penche et ramasse le seau de croquettes.*

NORBERT
Là-bas…

NORBERT *prend une brouette qui se trouve à côté et s'avance un peu plus loin.*

NORBERT
(*agacé*)
Bon sang. Le Niffleur s'est sauvé. Ça ne m'étonne pas de lui, le coquin. Dès qu'il a l'occasion de mettre la patte sur quelque chose qui brille…

Tandis que JACOB *parcourt l'intérieur de la valise, nous voyons apparaître des «feuilles» d'or qui tombent d'un arbre minuscule et s'avancent en une masse compacte vers la caméra. Les feuilles s'envolent en essaim, se mêlant aux Doxys, aux Luminoptères et aux Strangulots qui flottent dans les airs.*

Un PANORAMIQUE VERTICAL révèle une autre créature magnifique, le Nundu – ressemblant étonnamment à un lion, il a une grande crinière qui se déploie lorsqu'il rugit. Fièrement assis sur un grand rocher, il lance son rugissement vers la lune. NORBERT *répand de la nourriture à ses pieds et repart d'un pas résolu.*

Un Dirico – petit oiseau replet – se dandine au premier plan, suivi de ses poussins qui ne cessent de transplaner pendant que JACOB *escalade une pente herbeuse et escarpée.*

JACOB
(*à lui-même*)
Qu'as-tu fait aujourd'hui, Jacob ? J'étais dans une valise.

Arrivé au sommet, JACOB *découvre une face rocheuse éclairée par la lune et peuplée de petits Veaudelunes – ils sont timides avec de très grands yeux qui leur sortent de la tête.*

JACOB
Hé ! Oh, bonjour, les amis. Oui, oui.

Les Veaudelunes, sautillant et bondissant, descendent la paroi rocheuse en direction de JACOB, *qui se trouve soudain cerné de petites têtes amicales et pleines d'espoir.*

JACOB
Du calme. Doucement.

Lorsqu'il leur lance les croquettes, les Veaudelunes sautent sur place d'un air avide. Visiblement, JACOB *se sent mieux – tout cela lui plaît beaucoup…*

RETOUR sur NORBERT *: il tient dans ses bras une créature* *luminescente dotée d'antennes qui font penser à un extra-terrestre. Il nourrit l'animal avec un biberon tout en regardant attentivement comment* JACOB *s'y prend avec les Veaudelunes – il reconnaît en lui quelqu'un qui lui ressemble.*

JACOB

(*continuant de nourrir les Veaudelunes*)

Trognon. Voilà pour vous.

Une sorte de cri glacé retentit en écho un peu plus loin.

JACOB

(*vers* NORBERT)

Vous avez entendu ?

Mais NORBERT *n'est plus là.* JACOB *se retourne et voit un rideau s'ouvrir dans des ondulations d'étoffe, laissant apparaître un paysage de neige.*

La caméra avance en travelling vers une petite forme noire et huileuse, suspendue dans les airs – c'est un Obscurus. JACOB, *intrigué, s'aventure dans le paysage de neige pour aller voir de plus près. La forme compacte continue de tournoyer, émettant une énergie fébrile, tourmentée.* JACOB *tend la main pour toucher la créature.*

NORBERT
(*hors champ, péremptoire*)
Reculez !

JACOB *fait un bond.*

JACOB
Bon s…

NORBERT
Reculez !

JACOB
C'est quoi ce machin, là ? Qu… ?

NORBERT
J'ai dit : reculez.

JACOB
Qu'est-ce que c'est que ce truc ?

NORBERT

C'est un Obscurus.

JACOB *regarde* NORBERT, *momentanément perdu dans une sombre rêverie.* NORBERT *fait brusquement volte-face et retourne vers la cabane. Son ton est plus froid, plus catégorique, il n'éprouve plus aucun plaisir à se promener dans sa valise.*

NORBERT

Il faut que j'y aille. Que je trouve ceux qui se sont échappés avant qu'on leur fasse du mal.

JACOB *et* NORBERT *pénètrent dans une autre forêt.* NORBERT *marche droit devant, on sent qu'il s'est fixé une mission.*

JACOB

Qu'on *leur* fasse du mal ?

NORBERT

Oui, monsieur Kowalski. Ils sont en terrain inconnu, au beau milieu des créatures les plus féroces de la planète.

(*un temps*)
Les humains.

NORBERT *s'arrête une nouvelle fois, scrutant une vaste étendue de savane dépourvue de tout animal.*

NORBERT
À votre avis, où une créature de taille moyenne qui aime les vastes plaines, les arbres, les étangs, ce genre de choses, pourrait-elle aller ?

JACOB
Dans New York ?

NORBERT
Oui.

JACOB
Des plaines ?

JACOB *hausse les épaules en essayant de penser à un endroit qui convienne.*

JACOB

Ah ! Central Park ?

NORBERT

Et ça se trouve où ?

JACOB

Où se trouve Central Park ?

(*un temps*)

Écoutez… Je vous y emmènerais volontiers, mais vous ne croyez pas qu'on risque de passer pour des lâcheurs ? Les filles nous accueillent, elles nous font du chocolat chaud…

NORBERT

Vous êtes conscient que dès que vous n'aurez plus de fièvre, elles vous oublietteront en moins de deux ?

JACOB

Qu'est-ce que c'est « blietter » ?

NORBERT

Au réveil, vous n'aurez plus aucun souvenir de magie.

JACOB

Je ne me souviendrai de rien ?

Il regarde autour de lui. Ce monde est décidément extraordinaire.

NORBERT

Non.

JACOB

D'accord, oui, d'accord. Je vais vous aider.

NORBERT

(*prenant un seau*)

Venez alors.

SCÈNE 48
EXT. / INT. NUIT – UNE RUE DEVANT L'ÉGLISE DES FIDÈLES DE SALEM

CROYANCE *retourne chez lui, prenant le chemin de l'église. Il paraît plus heureux qu'auparavant : sa conversation avec* GRAVES *l'a réconforté.*

CROYANCE *entre lentement dans l'église, refermant sans bruit la double porte.*

CHASTETÉ *se trouve du côté de la cuisine, en train d'essuyer la vaisselle.*

MARY LOU *est assise sur une marche d'escalier, dans une semi-obscurité.* CROYANCE *sent sa présence et s'arrête avec sur le visage une expression de grande inquiétude.*

MARY LOU
Croyance, où étais-tu ?

CROYANCE
Je… cherchais un lieu pour le rassemblement de demain. Il y a un coin sur la Trente-deuxième Rue qui pourrait…

CROYANCE *se retourne vers l'escalier, soudain silencieux en voyant le visage grave de* MARY LOU.

CROYANCE
Pardon, maman. Je ne me suis pas rendu compte qu'il était si tard.

Comme en pilotage automatique, CROYANCE *ôte sa ceinture.* MARY LOU *se lève et tend la main pour la prendre. Sans un mot, elle tourne les talons et monte l'escalier,* CROYANCE *la suivant d'un air obéissant.*

MODESTIE *s'approche de l'escalier et les regarde s'éloigner. Elle est troublée, elle a peur.*

SCÈNE 49

EXT. NUIT – CENTRAL PARK

Un grand bassin gelé, au milieu de Central Park. Des enfants font du patin à glace. Un garçonnet tombe. Une fillette vient à son secours, ils se prennent la main.

Au moment où ils vont se relever, une lumière apparaît sous la glace. Un grondement profond résonne en écho. Les deux enfants regardent fixement une créature luisante glisser sous la surface gelée, juste au-dessous d'eux, puis disparaître au loin.

SCÈNE 50

EXT. NUIT – QUARTIER DES DIAMANTAIRES

NORBERT *et* JACOB *marchent le long d'une autre rue déserte en direction de Central Park. Les magasins devant lesquels ils passent débordent de bijoux de prix, de diamants, de pierres précieuses.* NORBERT, *sa valise à la main, scrute les coins obscurs, essayant d'apercevoir un quelconque mouvement.*

NORBERT

Je vous ai observé pendant le dîner.

JACOB

Oui.

NORBERT

Les gens vous apprécient, n'est-ce pas, monsieur Kowalski ?

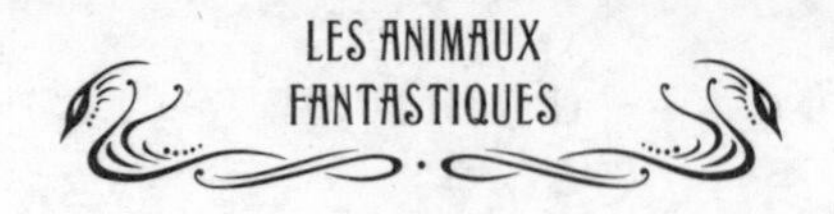

JACOB
(*surpris*)
Ben, je, euh… je suis sûr qu'ils vous apprécient aussi.

NORBERT
(*pas très intéressé*)
Pas vraiment, non. J'ennuie les gens.

JACOB
(*ne sachant comment répondre*)
Ah.

NORBERT *semble profondément intrigué par* JACOB.

NORBERT
Et pourquoi voulez-vous ouvrir une boulangerie ?

JACOB
Eh bien, hum, parce que je meurs dans cette conserverie.
(*sous le regard de* NORBERT)
Tout le monde meurt là-dedans.

Ça vous anéantit. Vous aimez
la nourriture en conserve ?

NORBERT

Non.

JACOB

Moi non plus. C'est pour ça que je
veux faire des pâtisseries, voyez-vous ?
Ça rend les gens heureux. On va de
ce côté.

JACOB *tourne vers sa droite.* NORBERT *le suit.*

NORBERT

Et alors, vous avez eu votre prêt ?

JACOB

Euh, non. Je n'ai pas de garantie.
Et je suis resté dans l'armée trop
longtemps, paraît-il, alors…

NORBERT

Vous avez fait la guerre ?

JACOB
Naturellement. Tout le monde a fait la guerre. Vous n'avez pas fait la guerre ?

NORBERT
J'ai travaillé surtout avec des dragons. Des Pansedefers ukrainiens, sur le front est.

NORBERT *s'arrête brusquement. Il vient de voir briller une petite boucle d'oreille posée sur le capot d'une voiture. Il baisse les yeux : des diamants sont éparpillés sur le trottoir jusqu'à la vitrine d'un des bijoutiers.*

NORBERT *suit furtivement la piste, passant avec prudence devant d'autres vitrines. Quelque chose attire alors son attention et il s'immobilise. Très lentement, il recule sur la pointe des pieds.*

Le Niffleur se tient dans la vitrine d'un magasin. Pour essayer de se cacher, il fait mine d'être lui-même un présentoir à bijoux, ses petites pattes tendues couvertes de diamants.

NORBERT *contemple la créature d'un air incrédule. Se sentant*

observé, le Niffleur se tourne lentement. Leurs regards se croisent.

Un temps.

Soudain, le Niffleur disparaît : il file à l'intérieur du magasin, loin de NORBERT. *D'un geste vif, celui-ci sort sa baguette magique.*

NORBERT

Fenestra.

La vitrine vole en éclats et NORBERT *saute à l'intérieur de la boutique, ouvrant tiroirs et armoires, à la recherche désespérée de la créature.* JACOB, *dans la rue, le regarde, n'en croyant pas ses yeux. Vu du dehors,* NORBERT *donne l'impression de piller la bijouterie.*

Le Niffleur apparaît et se précipite par-dessus l'épaule de NORBERT, *tentant d'échapper à ses griffes par le chemin des airs.* NORBERT *saute sur une table pour essayer de l'attraper, mais le Niffleur est suspendu à un lustre en cristal qui se balance au plafond.*

NORBERT *tend le bras, trébuche au bord de la table et se raccroche au lustre en compagnie du Niffleur. Le lustre se met alors à tourner frénétiquement sur lui-même.*

JACOB, *dans la rue, lance autour de lui des regards inquiets pour s'assurer que personne n'a entendu le vacarme qui vient de la boutique.*

Enfin, le lustre s'écrase par terre dans un grand fracas. Le Niffleur se relève aussitôt, enjambant des présentoirs remplis de bijoux, NORBERT *sur ses talons.*

L'un des fermoirs de la valise de NORBERT *s'ouvre tout seul et un rugissement s'élève de l'intérieur.* JACOB, *effrayé, regarde la valise.*

Le Niffleur et NORBERT *continuent la poursuite et finissent par monter sur un grand présentoir suffisamment solide pour supporter leur poids. Le présentoir sur lequel ils sont à présent perchés finit par basculer et tombe contre l'une des vitrines du magasin. Le Niffleur et* NORBERT *restent alors figés…*

JACOB *respire profondément et tend lentement le bras pour rabattre le fermoir de la valise.*

Tout à coup, une fêlure apparaît sur le verre de la vitrine. NORBERT *regarde la fêlure s'étendre sur toute la surface de la vitre qui explose soudain, se répandant en petits éclats sur le trottoir, tandis que* NORBERT *et le Niffleur s'écrasent par terre.*

Le Niffleur reste un instant sans bouger puis s'enfuit le long de la rue. NORBERT *reprend très vite ses esprits et sort sa baguette magique.*

NORBERT

ACCIO !

AU RALENTI, le Niffleur est ramené en arrière vers NORBERT. *Il vole littéralement et regarde au passage une magnifique vitrine pleine de joyaux. Ses yeux s'écarquillent. Des bijoux tombent de sa poche ventrale alors qu'il plane vers* NORBERT *et* JACOB *qui courent vers la créature.*

En passant devant un réverbère, le Niffleur tend une patte, s'accroche au poteau et tourne tout autour pour se donner de l'élan et s'envoler en direction de la somptueuse vitrine, hors de la trajectoire prévue par NORBERT.

Celui-ci lance un sortilège vers la vitrine, la transformant en une gelée gluante dans laquelle le Niffleur vient s'empêtrer.

NORBERT
(*au Niffleur*)

Ça va ? Tu es content ?

NORBERT, *à présent couvert de bijoux, arrache le Niffleur à la vitrine visqueuse.*

Au même moment, on entend en arrière-plan des sirènes de police.

NORBERT

Et de un. Plus que deux.

Des voitures de patrouille foncent dans les rues.

NORBERT, *une fois de plus, se met à secouer le Niffleur pour faire tomber les diamants de sa poche ventrale.*

Les voitures de police s'arrêtent et des POLICIERS *se précipitent, leurs revolvers pointés sur* NORBERT *et* JACOB. *Ce*

dernier, lui aussi recouvert de bijoux, lève les mains en signe de reddition.

JACOB

Ils sont allés par là, monsieur…

LE POLICIER N° 1

Gardez les mains en l'air !

Le Niffleur, que NORBERT *a fourré dans la poche de son pardessus, sort sa petite tête et émet un couinement.*

LE POLICIER N° 2

Qu'est-ce que c'est que ÇA ?

JACOB *regarde brusquement vers la gauche, avec une expression de terreur.*

JACOB

(*parvenant à peine à parler*)

Un lion…

Un temps puis, à l'unisson, les deux policiers tournent les yeux et leur arme vers l'autre bout de la rue.

Intrigué, NORBERT *regarde à son tour… Un lion s'approche d'eux à pas feutrés.*

NORBERT
(*calmement*)
Voyez-vous, New York est bien plus intéressant que je ne pensais.

Avant que les policiers aient eu le temps de se retourner, NORBERT *attrape* JACOB *et tous deux transplanent.*

SCÈNE 51
EXT. NUIT – CENTRAL PARK

NORBERT *et* JACOB *se hâtent dans le parc recouvert de givre.*

Au moment où ils traversent un pont, ils sont presque renversés par une autruche qui s'enfuit en courant droit devant elle.

On entend plus loin un grondement sonore.

NORBERT *sort de sa poche un équipement pour se protéger la tête et le tend à* JACOB.

NORBERT

Mettez ça.

JACOB

Mais pourquoi je devrais porter un truc pareil ?

NORBERT

Parce que votre crâne est susceptible de se briser en cas de choc violent.

NORBERT *se met à courir. Littéralement terrifié,* JACOB *met le casque de protection et se lance à la suite de* NORBERT.

SCÈNE 52

EXT. NUIT – APPARTEMENT DES GOLDSTEIN

TINA *et* QUEENIE *sont penchées à la fenêtre de leur chambre, tendant le cou dans l'obscurité. Un nouveau rugissement résonne dans la nuit hivernale. D'autres fenêtres s'ouvrent, des voisins scrutent la ville d'un regard endormi.*

SCÈNE 53

INT. NUIT – APPARTEMENT DES GOLDSTEIN

TINA *et* QUEENIE *surgissent dans la chambre où* JACOB *et* NORBERT *sont censés dormir. Il n'y a aucune trace des deux hommes. Furieuse,* TINA *sort en trombe pour aller s'habiller.* QUEENIE *paraît très contrariée.*

QUEENIE

Mais on leur avait fait du chocolat chaud…

SCÈNE 54
EXT. NUIT – ZOO DE CENTRAL PARK

NORBERT *et* JACOB *courent vers le zoo, à moitié vide à présent, dont les murs extérieurs sont démolis par endroits. Un monceau de gravats s'entasse à l'entrée.*

Un nouveau rugissement retentit en écho autour du bâtiment de briques. NORBERT *sort une tenue de protection.*

NORBERT

Bien. Tenez, mettez ça.

NORBERT *se place derrière* JACOB *pour l'aider à attacher son plastron.*

JACOB

D'accord.

NORBERT

Vous n'avez absolument aucune inquiétude à avoir.

JACOB

C'est arrivé que les gens vous croient quand vous leur dites de pas s'inquiéter ?

NORBERT

Ma philosophie est que s'inquiéter, c'est souffrir deux fois.

JACOB *digère la « sagesse » de* NORBERT.

Celui-ci ramasse sa valise et JACOB *le suit, trébuchant parmi les gravats.*

Ils se trouvent maintenant à l'entrée du zoo. Provenant de l'intérieur, on entend un grognement sonore.

NORBERT

Elle est en chaleur. Elle doit s'accoupler.

PLAN sur un Éruptif – une créature semblable à un gros rhinocéros aux formes arrondies, avec une corne massive qui pointe sur son front. Cinq fois plus grande que NORBERT, *elle donne des coups de museau contre la clôture qui entoure un hippopotame terrifié.*

NORBERT *sort de sa poche une fiole minuscule. Il enlève le bouchon avec ses dents et le recrache de côté avant de tamponner chacun de ses poignets d'une goutte de liquide.* JACOB *le regarde faire – une odeur âcre se répand.*

NORBERT

Du musc d'Éruptif. Elle en raffole.

NORBERT *donne à* JACOB *la fiole ouverte et se dirige vers l'intérieur du zoo.*

CUT sur NORBERT *qui pose sa valise sur le sol, près de l'Éruptif, ou plutôt de l'Éruptive car c'est une femelle, et l'ouvre lentement, en essayant d'attirer l'animal.*

NORBERT *se livre à un rituel de séduction – composé d'une série de grognements et de gémissements, accompagnés de trémoussements et de roulades – pour attirer l'attention de la créature.*

Enfin, l'Éruptive se détourne de l'hippopotame – elle s'intéresse à NORBERT, *à présent. Ils se font face, puis tournent l'un autour de l'autre, leur corps ondulant étrangement. Le comportement de l'Éruptive fait penser à celui d'un chiot. Sa corne luit d'une couleur orange.*

NORBERT *se roule sur le sol. L'Éruptive l'imite, s'approchant de plus en plus de la valise ouverte.*

NORBERT

C'est bien, ma grande. Allez.
Dans la valise.

JACOB *renifle le musc d'Éruptif. Pendant ce temps, un poisson volant traverse les airs et le bouscule au passage, répandant le musc sur lui.*

Le vent change de direction. Les arbres bruissent. L'Éruptive prend une profonde inspiration, elle sent alors le nouvel arôme plus puissant qui émane de JACOB.

Ce dernier regarde tout autour. Une otarie se tient derrière lui, la mine coupable, avant de s'enfuir d'un air insolent.

Lorsque JACOB *se retourne, il voit que l'Éruptive s'est maintenant levée et le regarde fixement.*

PLAN sur NORBERT *et* JACOB *qui comprennent ce qui va se passer.*

RETOUR SUR LA SCÈNE : l'Éruptive charge vers l'endroit d'où provient l'odeur en lançant des cris déments. JACOB *pousse des gémissements en courant à toutes jambes dans la direction opposée. L'Éruptive le poursuit, tous deux écrasent des débris sur leur passage, défoncent des flaques gelées avant de se lancer dans le parc couvert de neige.*

NORBERT *sort sa baguette magique.*

NORBERT

Repar…

Mais avant qu'il ait fini de prononcer la formule, sa baguette lui est arrachée des mains par un babouin qui s'enfuit en s'agrippant à sa prise.

NORBERT

Par la barbe de Merlin !

PLAN sur JACOB *qui continue de courir de toutes ses forces, l'Éruptive se rapprochant derrière lui.*

RETOUR sur NORBERT, *face au babouin curieux qui examine la baguette magique.*

NORBERT *arrache une brindille d'une branche d'arbre et la tend au singe en essayant de le persuader de l'échanger contre sa baguette.*

NORBERT

C'est exactement la même. C'est la même chose.

RETOUR sur JACOB :
En tentant d'escalader un arbre, il a fini par se retrouver accroché à une branche, tête en bas, dans une position précaire.

JACOB
(*criant, terrifié*)

NORBERT !

L'Éruptive se trouve juste au-dessous de lui. Elle se couche sur le dos, agitant les pattes en signe d'invitation.

PLAN de NORBERT *– le babouin secoue sa baguette magique.*

NORBERT

Non, non, non, arrête !

NORBERT *semble inquiet – BANG ! –, la baguette « part » et le sortilège produit un effet de recul, précipitant le babouin en arrière. La baguette s'envole pour revenir entre les mains de* NORBERT.

NORBERT

Mes excuses…

RETOUR sur JACOB *– l'Éruptive s'est à présent relevée et charge. Sous le choc, sa corne s'enfonce profondément dans le tronc. Un liquide lumineux se met à bouillonner à la surface de l'arbre qui explose et s'abat sur le sol.*

JACOB *est propulsé à terre et roule sur lui-même le long d'une pente neigeuse pour atterrir sur le lac gelé qui se trouve plus bas.*

L'Éruptive le charge à nouveau, se retrouve sur la glace et se met à glisser. NORBERT *dévale la pente, prenant pied à son tour sur la surface gelée. Dans une glissade digne d'un athlète, sa valise ouverte à la main, il rejoint l'Éruptive alors qu'elle n'est plus qu'à quelques dizaines de centimètres de* JACOB *et la valise avale aussitôt la créature.*

NORBERT

Bravo, monsieur Kowalski !

JACOB *tend le bras pour lui serrer la main.*

JACOB

Appelez-moi Jacob.

Ils se serrent la main.

PLAN SUBJECTIF d'une tierce personne : quelqu'un regarde NORBERT *relever* JACOB *puis les voit s'enfuir aussi vite qu'ils le peuvent en glissant sur le lac gelé.*

NORBERT

Bien. Et de deux. Plus qu'un.

PLAN FIXE de TINA *qui se cache sur le pont, au-dessus d'eux, et les observe.*

NORBERT

(*hors champ, à* JACOB)

Allez, dans la valise.

On voit alors la valise posée toute seule sous le pont.

TINA *apparaît et se hâte d'aller s'asseoir sur le couvercle. Elle rabat les fermoirs, l'air ébranlée, mais déterminée.*

UN PRÉSENTATEUR
(*en voix off*)
Mesdames et messieurs…

SCÈNE 55
INT. NUIT – HÔTEL DE VILLE DE NEW YORK

Un vaste hall richement décoré, aux murs recouverts d'emblèmes patriotiques. Des centaines de personnes vêtues avec élégance sont assises à des tables rondes et regardent une scène aménagée au fond de la salle. Au-dessus de cette scène est accroché un grand portrait du SÉNATEUR SHAW *accompagné du slogan : « L'avenir de l'Amérique ».*

Un PRÉSENTATEUR *se tient devant un micro.*

LE PRÉSENTATEUR
… ce soir, je n'ai nul besoin de vous
présenter notre principal intervenant.

On le considère déjà comme le futur
président. Si vous ne me croyez pas,
lisez les journaux de son papa…

Des rires indulgents montent du public. Nous voyons SHAW SENIOR *et* LANGDON *assis à une table, entourés de la crème de la crème de la bonne société new-yorkaise.*

LE PRÉSENTATEUR

… mesdames et messieurs, voici le
sénateur de New York, Henry Shaw !

Des applaudissements enthousiastes retentissent. LE SÉNATEUR SHAW *s'avance d'un pas bondissant, remerciant d'un geste les spectateurs, pointant l'index vers des amis ou leur faisant des clins d'œil, puis il monte les marches qui mènent à la scène.*

SCÈNE 56

EXT. NUIT – UNE RUE SOMBRE

Quelque chose file comme l'éclair à travers les rues, quelque chose de trop grand et de trop rapide pour être un humain. Étrange, grognant, respirant laborieusement, c'est une bête totalement inhumaine.

SCÈNE 57

EXT. NUIT – UNE RUE PROCHE DE L'HÔTEL DE VILLE

TINA *marche d'un pas précipité, serrant la poignée de la valise. Les lumières des réverbères commencent à s'éteindre autour d'elle. Elle s'arrête en sentant quelque chose passer dans l'obscurité. Effrayée, elle se tourne et scrute la rue.*

SCÈNE 58
INT. NUIT – HÔTEL DE VILLE

LE SÉNATEUR SHAW
… et c'est vrai, nous avons progressé. Mais l'oisiveté ne mène à rien. Donc, tout comme les ignobles bars ont été interdits…

Un bruit bizarre, entêtant, s'élève des tuyaux de l'orgue, à l'autre bout de la salle. Tout le monde se tourne dans cette direction. LE SÉNATEUR *s'interrompt.*

LE SÉNATEUR SHAW
… aujourd'hui ce sont les salles de billard et les salons privés qui…

L'étrange bruit augmente d'intensité.

Les invités se tournent à nouveau pour regarder. LE SÉNATEUR *devient anxieux. Des gens marmonnent.*

Soudain, une explosion retentit et quelque chose jaillit au

pied de l'orgue. Quelque chose d'énorme, de bestial, qui prend son envol dans la salle tout en restant invisible. Des tables sont projetées en l'air, des invités précipités à terre, des lampes sont fracassées et des hurlements montent du public tandis que la chose trace son sillage en direction de la scène.

LE SÉNATEUR SHAW *est jeté en arrière contre sa propre affiche puis catapulté très haut dans la salle. Il reste suspendu un moment dans les airs avant de retomber et de s'écraser violemment au sol – mort.*

La « bête » déchire l'affiche – une lacération frénétique accompagnée d'une respiration rauque, bruyante – puis reprend son vol, retournant là d'où elle est venue.

On entend des cris d'angoisse, de panique, dans le public, tandis que SHAW SENIOR *se fraye un chemin parmi les débris pour se ruer auprès du corps disloqué, ensanglanté, de son fils.*

PLAN du corps du SÉNATEUR SHAW, *le visage sillonné de marques qui témoignent de la violence du choc.* SHAW SENIOR, *effondré, s'accroupit à côté de son fils.*

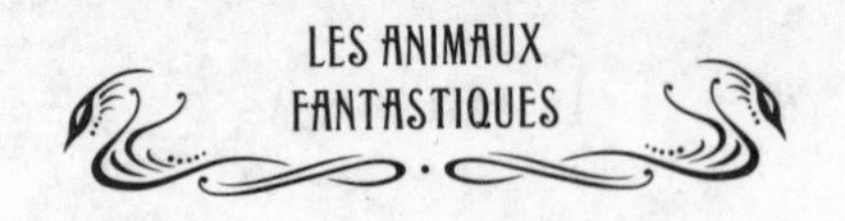

PLAN de LANGDON *qui s'est relevé, ~~légèrement~~ ivre. Il a l'air déterminé, et peut-être même triomphant.*

LANGDON

SORCELLERIE !

SCÈNE 59

INT. NUIT – HALL DU MACUSA

On voit le cadran géant montrant le NIVEAU DE RISQUE D'EXPOSITION AUX NON-MAJ*. L'aiguille passe de* SÉVÈRE *à* URGENCE*.*

TINA, *la valise à la main, monte rapidement l'escalier du hall, passant devant des groupes de sorcières et de sorciers qui murmurent d'un air inquiet.*

HEINRICH EBERSTADT
(*hors champ*)
Nos amis américains ont permis une violation du Code du secret magique…

SCÈNE 60
INT. NUIT – BUREAU EN PENTAGRAMME

Un hall impressionnant aménagé à la manière d'une salle ancienne du parlement. Les sièges sont occupés par des sorciers venus de tous les coins du monde. MME PICQUERY, GRAVES *à son côté, préside la séance.*

Le délégué suisse a pris la parole.

HEINRICH EBERSTADT

… ce qui menace de révéler notre existence.

MME PICQUERY

Je n'ai pas de leçon à recevoir de celui qui a laissé Gellert Grindelwald lui filer entre les doigts.

Un hologramme représentant le corps mort et désarticulé du SÉNATEUR SHAW *flotte tout en haut, émettant une lumière brillante.*

Toutes les têtes se tournent lorsque TINA *pénètre précipitamment dans la salle.*

TINA

Madame la présidente, excusez-moi de vous interrompre, mais il est urgent que…

Un silence suit ses paroles. Dans une glissade, TINA *s'immobilise au milieu de la salle au sol de marbre avant de vraiment comprendre l'importance de ce qu'elle vient d'interrompre. Les délégués tournent leurs regards vers elle.*

MME PICQUERY

J'espère que vous avez un excellent prétexte pour cette intrusion, mademoiselle Goldstein.

TINA

Oui. J'en ai un.

(*s'avançant pour lui parler*)

Madame, hier, un sorcier est arrivé à New York avec une valise. Cette valise est remplie de créatures magiques. Malheureusement, certaines se sont échappées.

MME PICQUERY

Il est arrivé hier ? Vous savez depuis vingt-quatre heures qu'un sorcier clandestin a lâché plusieurs animaux magiques dans New York et vous avez attendu qu'il y ait un mort pour nous le dire ?

TINA

Un mort ? Qui ça ?

MME PICQUERY

Où est ce sorcier, à présent ?

TINA *pose la valise par terre et frappe le couvercle. Un instant plus tard, la valise s'ouvre dans un grincement.* NORBERT *puis* JACOB *en émergent, l'air penaud et mal à l'aise.*

LE DÉLÉGUÉ BRITANNIQUE

Dragonneau ?

NORBERT

(*refermant la valise*)

Euh… bonjour, monsieur le ministre.

MOMOLU WOTORSON

Thésée Dragonneau, le héros de guerre ?

LE DÉLÉGUÉ BRITANNIQUE

Non, il s'agit de son jeune frère. Au

nom de Merlin, que faites-vous donc
à New York ?

NORBERT

Je suis venu acheter un Boursouf
tacheté, monsieur.

LE DÉLÉGUÉ BRITANNIQUE

(*suspicieux*)

C'est cela. Que faites-vous réellement
ici ?

MME PICQUERY

(*à* TINA, *parlant de* JACOB)

Goldstein, et lui, qui est-ce ?

TINA

C'est Jacob Kowalski, madame
la présidente. C'est un Non-Maj
qui a été mordu par une des créatures
de M. Dragonneau.

Réaction furieuse des employés du MACUSA et des dignitaires présents.

LES MINISTRES
(*murmurant*)
Un Non-Maj ? Oubliette ?

NORBERT *est absorbé dans la contemplation de l'image du corps du* SÉNATEUR SHAW *qui flotte autour de la salle.*

NORBERT
Par la barbe de Merlin.

MME YA ZHOU
Vous savez laquelle de vos créatures est responsable, monsieur Dragonneau ?

NORBERT
Ce n'est pas… une créature qui a fait ça. Ne faites pas semblant. Vous savez ce que c'est. Regardez ces marques.

GROS PLAN sur le visage du SÉNATEUR SHAW.

RETOUR sur NORBERT.

NORBERT

C'est un Obscurus.

Consternation générale, on entend des marmonnements, des exclamations. GRAVES *semble aux aguets.*

MME PICQUERY

Vous allez trop loin, monsieur Dragonneau. Il n'y a pas d'Obscurial en Amérique. Emparez-vous de cette valise, Graves !

Grâce à un sortilège d'Attraction, GRAVES *fait venir la valise qui atterrit à côté de lui.* NORBERT *sort sa baguette magique.*

NORBERT

(*à* GRAVES)

Non. Rendez-la-m…

MME PICQUERY

Arrêtez-les !

Une salve de sortilèges à donner le tournis frappe NORBERT, TINA *et* JACOB *qui tombent tous les trois à genoux. La*

baguette de NORBERT *lui saute des mains, rattrapée par* GRAVES.

GRAVES *se lève et prend la valise.*

NORBERT
(*immobilisé par les sortilèges*)
Non, non, ne faites pas de mal à ces créatures, je vous en prie. Vous faites une erreur. Il n'y a rien de dangereux là-dedans. Rien.

MME PICQUERY
Ce sera à nous d'en juger.
(*aux Aurors qui se tiennent maintenant derrière* NORBERT)
Mettez-les en cellule.

PLAN sur GRAVES *qui observe* TINA *tandis qu'elle est traînée hors de la salle en compagnie de* NORBERT *et de* JACOB.

NORBERT
(*criant désespérément*)
Ne faites pas de mal à ces créatures.

Il n'y a rien de dangereux là-dedans.
Ne leur faites aucun mal ! Mes créatures
ne sont pas dangereuses. Je vous en
supplie ! Elles ne sont pas dangereuses !

SCÈNE 61

INT. JOUR – UNE CELLULE DU MACUSA

NORBERT, TINA *et* JACOB *sont assis.* NORBERT *a la tête dans les mains, toujours plongé dans la plus profonde inquiétude quant au sort de ses créatures. Enfin,* TINA, *au bord des larmes, rompt le silence.*

TINA
Je suis désolée pour vos créatures,
monsieur Dragonneau. Sincèrement
désolée.

NORBERT *ne dit pas un mot.*

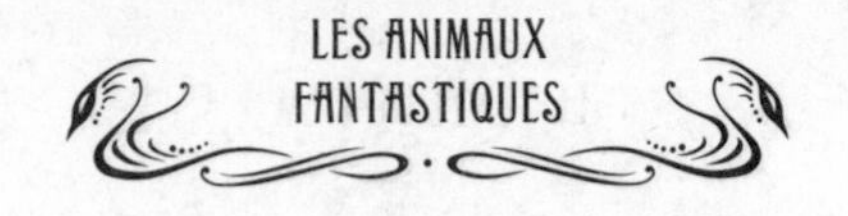

JACOB

(*sotto voce, à* TINA)

Quelqu'un peut m'expliquer ce qu'est un Obscurial, Obscurius truc… s'il vous plaît ?

TINA

(*sotto voce*)

Il n'y en a pas eu depuis des siècles.

NORBERT

J'en ai vu un au Soudan il y a trois mois de cela. Il y en a moins qu'avant, mais ils existent toujours. Avant que les sorciers ne se cachent, quand nous étions encore pourchassés par les Moldus, de jeunes sorciers et sorcières tentaient parfois de refouler leur magie pour éviter la persécution. Au lieu d'apprendre à maîtriser, à contrôler leurs pouvoirs, ils développaient ce qu'on appelle un Obscurus.

TINA
(*pour répondre à la perplexité de* JACOB)
C'est une force sombre, incontrôlable
et instable qui éclate et attaque.
Et disparaît.

À mesure qu'elle parle, les choses semblent trouver leur explication. Pour autant qu'elle puisse le savoir, l'auteur des attaques menées contre New York ne peut être qu'un Obscurus.

TINA
(*à* NORBERT)
Les Obscurials ne survivent pas
longtemps, n'est-ce pas ?

NORBERT
Il n'y a pas de cas avéré d'Obscurial
ayant survécu après l'âge de dix ans.
La fillette que j'ai rencontrée en
Afrique avait huit ans quand… Elle
avait huit ans quand elle est morte.

JACOB

Qu'est-ce que vous me dites, là ? Que le sénateur Shaw a été tué par un… un *gosse* ?

Le regard de NORBERT *répond par l'affirmative.*

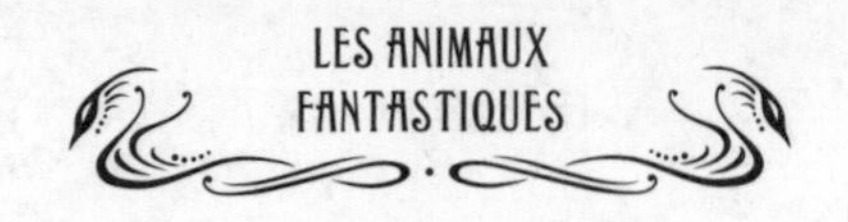

SCÈNE 62

INT. JOUR – ÉGLISE DES FIDÈLES DE SALEM, GRANDE SALLE – MONTAGE-SÉQUENCE

MODESTIE *s'approche de la longue table à laquelle sont assis de nombreux orphelins qui mangent avidement.*

MODESTIE
(*poursuivant sa chansonnette*)
Ma maman, ta maman,
leurs balais fendent l'air.
Ma maman, ta maman,
une sorcière ne pleure pas.
Ma maman, ta maman,
sorcière, tu mourras !

MODESTIE *ramasse sur la table quelques-uns des tracts destinés aux enfants.*

MODESTIE
Première sorcière,
noyée dans l'étang.
Deuxième sorcière,
à une corde je la pends.
Troisième sorcière…

CUT :
Les enfants, ayant terminé leur repas, quittent la table avec leurs tracts et se dirigent vers la porte.

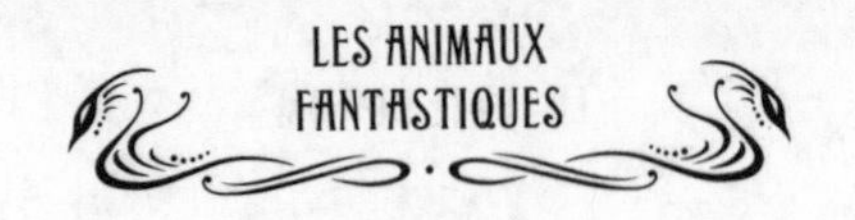

CHASTETÉ
(*criant tandis qu'ils s'en vont*)
Distribuez vos tracts. Je le saurai si vous les jetez. Dites-moi si quelque chose vous semble suspect.

GROS PLAN sur CROYANCE *: il fait la vaisselle tout en observant les enfants d'un regard intense.*

MODESTIE *suit au-dehors les derniers enfants qui sortent de l'église.*

SCÈNE 63
EXT. JOUR – UNE RUE PROCHE DE L'ÉGLISE DES FIDÈLES DE SALEM

MODESTIE *se tient au milieu d'une rue passante. Elle jette en l'air ses tracts le plus haut possible et les regarde retomber autour d'elle d'un air ravi.*

SCÈNE 64

INT. JOUR – UNE CELLULE DU MACUSA / UN COULOIR

Deux EXÉCUTRICES *vêtues de blanc conduisent* NORBERT *et* TINA, *entravés, dans un sous-sol obscur, à l'écart de leur cellule.*

NORBERT *se retourne pour regarder derrière lui.*

NORBERT

(*par-dessus son épaule*)

Ça m'a fait plaisir de vous rencontrer, Jacob. J'espère que vous aurez votre boulangerie.

PLAN sur JACOB, *effrayé, qui, laissé seul, s'agrippe aux barreaux de la cellule. Il adresse à* NORBERT *un signe de la main plein de tristesse.*

SCÈNE 65
INT. JOUR – SALLE D'INTERROGATOIRE

C'est une petite pièce nue, aux murs noirs, sans fenêtres.

GRAVES, *un dossier ouvert devant lui, est assis à un bureau, face à* NORBERT. *Celui-ci plisse les paupières, ébloui par une lumière brillante dirigée sur ses yeux.*

TINA *est debout derrière lui, flanquée des deux* EXÉCUTRICES.

GRAVES
Vous êtes un homme intéressant,
monsieur Dragonneau.

TINA
(*faisant un pas en avant*)
Monsieur Graves…

GRAVES *porte un doigt à ses lèvres pour faire signe à* TINA *de se taire. Le geste est condescendant, mais péremptoire.* TINA *paraît soumise – elle obéit en reculant d'un pas dans l'ombre.*

GRAVES *consulte le dossier posé sur le bureau.*

GRAVES

Vous avez été renvoyé de Poudlard pour mise en danger de la vie d'autrui…

NORBERT

C'était un accident.

GRAVES

… avec un animal. Pourtant, l'un de vos professeurs a bataillé ferme contre votre expulsion. Alors pour quelle raison Albus Dumbledore vous affectionne-t-il tant ?

NORBERT

Je ne saurais le dire.

GRAVES

Et lâcher une meute de créatures dangereuses ici, c'était un autre accident. C'est ça ?

NORBERT

Pourquoi le ferais-je délibérément ?

GRAVES

Pour révéler l'existence des sorciers. Et provoquer une guerre entre les mondes non-magique et magique.

NORBERT

Un massacre « pour le plus grand bien », c'est ce que vous pensez ?

GRAVES

Oui. Tout à fait.

NORBERT

Je ne suis pas l'un des fanatiques de Grindelwald, monsieur Graves.

Un changement d'expression à peine perceptible nous montre que NORBERT *a marqué un point.* GRAVES *paraît plus menaçant.*

GRAVES
Je me demande ce que vous allez pouvoir me dire de ceci, monsieur Dragonneau.

D'un geste lent de la main, GRAVES *fait sortir l'Obscurus de la valise de* NORBERT. *Il l'amène sur le bureau. La chose palpite, se tortille, siffle.*

GROS PLAN sur TINA *qui contemple la scène sans en croire ses yeux.*

GRAVES *tend la main vers l'Obscurus – il est littéralement fasciné. Sous l'effet de cette soudaine proximité, l'Obscurus se tortille plus vite, il frémit, recule en se recroquevillant.*

NORBERT *se tourne instinctivement vers* TINA. *Sans qu'il sache vraiment pourquoi, c'est elle qu'il veut convaincre.*

NORBERT

C'est un Obscurus.

(*sous son regard*)

Mais vous faites fausse route. J'ai pris soin de le séparer de la petite Soudanaise quand j'ai essayé de la sauver. Je voulais l'emmener chez moi pour l'étudier.

(*devant l'expression effarée de* TINA)

Mais il ne peut pas survivre hors de cette enveloppe. Il ne peut blesser personne, Tina !

GRAVES

Donc sans son hôte, il est inutile ?

NORBERT

Inutile ? Inutile ? C'est une force magique parasite qui a tué une enfant. Quel usage voudriez-vous en faire ?

NORBERT, *la colère finissant par bouillir en lui, fixe* GRAVES *du regard.* TINA, *réagissant à l'atmosphère du lieu, observe*

également GRAVES – *l'inquiétude, la peur se lisent sur son visage.*

GRAVES *se lève, négligeant les questions posées, et se tourne vers* NORBERT *pour rejeter la faute sur lui.*

GRAVES
Personne n'est dupe, monsieur
Dragonneau. Vous avez amené cet
Obscurus à New York dans l'espoir
de causer un massacre, d'enfreindre
le Code du secret magique et de révéler
l'existence du monde des sorciers…

NORBERT
Il est inoffensif et vous le savez !

GRAVES
… par conséquent, vous êtes coupable
de trahison envers les autres sorciers
et condamné à mort. Mlle Goldstein
qui est votre complice…

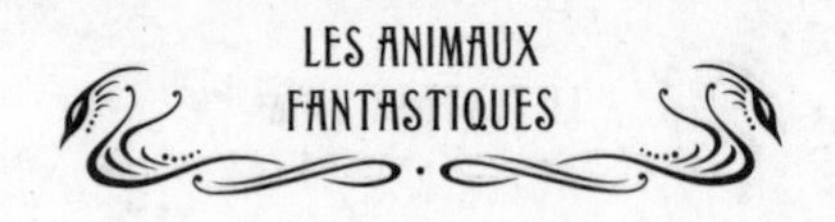

NORBERT

Non, elle n'a rien à voir là-dedans.

GRAVES

Elle subira la même peine.

Les deux EXÉCUTRICES *s'avancent d'un pas. Très calmes, elles enfoncent d'un geste appuyé l'extrémité de leur baguette dans le cou de* NORBERT *et de* TINA.

TINA *est tellement submergée par la peur et l'effarement qu'elle peut à peine parler.*

GRAVES

(*aux* EXÉCUTRICES)

Exécution immédiate. J'informerai moi-même la présidente Picquery.

NORBERT

Tina.

GRAVES *porte à nouveau un doigt à ses lèvres.*

GRAVES

Chut.

(*faisant signe aux* EXÉCUTRICES)

S'il vous plaît.

SCÈNE 66

INT. JOUR – UNE SALLE DE RÉUNION DANS UN SOUS-SOL MITEUX

QUEENIE *porte en direction d'une salle de réunion un plateau sur lequel sont disposées des tasses de café.*

Soudain, elle s'immobilise, les yeux écarquillés, une expression de terreur sur le visage. Elle lâche le plateau : les tasses se fracassent par terre.

Un groupe de petits fonctionnaires du MACUSA la regarde. QUEENIE *les regarde à son tour, abasourdie, avant de s'enfuir le long du couloir.*

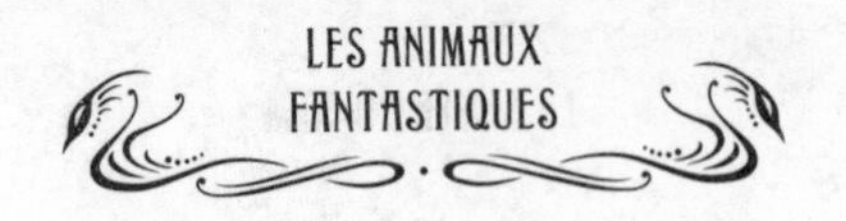

SCÈNE 67
INT. JOUR – COULOIR MENANT À LA CELLULE DES CONDAMNÉS À MORT

Un long couloir noir, aux parois métalliques, mène à une cellule d'un blanc immaculé. Elle contient un siège suspendu par magie au-dessus d'un bassin rempli d'une potion dont on voit la surface onduler.

Les EXÉCUTRICES *font entrer* NORBERT *et* TINA *de force dans la pièce. Un garde se tient à l'entrée.*

TINA
(*à* L'EXÉCUTRICE N° 1)
Ne faites pas ça, Bernadette. Par pitié.

L'EXÉCUTRICE N° 1
Ça fait pas mal.

TINA *est emmenée au bord du bassin. Elle se laisse gagner par la panique, sa respiration devenant profonde et irrégulière.*

L'EXÉCUTRICE N° 1, *souriante, brandit une baguette magique et extrait délicatement de la tête de* TINA *ses souvenirs heureux.* TINA *se calme instantanément – elle a maintenant une expression vide, comme si elle était dans un autre monde.*

L'EXÉCUTRICE N° 1 *jette les souvenirs dans la potion qui ondule un peu plus, laissant voir des scènes appartenant à la vie de* TINA.

Une TINA *enfant lève la tête vers sa mère qui l'appelle.*

LA MÈRE DE TINA
(*en voix off*)
Tina… Tina… Allez, ma puce, c'est l'heure d'aller au lit. Tu es prête ?

TINA
Maman…

LA MÈRE DE TINA *apparaît dans le bassin avec un visage chaleureux qui exprime l'amour. La vraie* TINA *baisse les yeux vers elle en souriant.*

L'EXÉCUTRICE N° 1

Ça fait envie, non ? Vous voulez y aller ?

TINA *approuve d'un signe de tête, le regard vide.*

SCÈNE 68

INT. JOUR – HALL DU MACUSA

QUEENIE *se trouve parmi la foule qui remplit le hall. Les portes de l'ascenseur émettent un son.*

PLAN sur les portes de l'ascenseur. Elles s'ouvrent en laissant apparaître JACOB, *escorté de* SAM, *l'Oubliator.*

QUEENIE *se précipite vers eux d'un air décidé.*

QUEENIE
Salut, Sam !

SAM
Salut, Queenie.

QUEENIE
On te demande en bas. Je vais
l'oublietter.

SAM
Tu n'as pas la qualification.

Le visage sombre, QUEENIE *lit dans ses pensées.*

QUEENIE
Dis donc, Sam, Cecily est au courant
que tu fréquentes Ruby ?

PLAN de RUBY, *une sorcière du MACUSA, qui se trouve un peu plus loin. Elle sourit à* SAM.

PLAN de QUEENIE *et* SAM *– celui-ci paraît mal à l'aise.*

SAM
(*effaré*)
Comment as-tu…

QUEENIE
Laisse-moi oublietter ce gars et elle
n'entendra jamais parler de moi.

Stupéfait, SAM *recule.* QUEENIE *saisit le bras de* JACOB *et l'entraîne à travers le hall immense.*

JACOB
Que faites-vous ?

QUEENIE
Chut. Tina a des ennuis. J'essaye
d'entendre.
(*elle lit dans les pensées de* TINA)
Jacob, où est la valise de Norbert ?

JACOB
Je crois que le type là, Graves, l'a prise.

QUEENIE

Bon. Venez.

JACOB

Quoi ? Vous n'allez pas m'oublietter ?

QUEENIE

Non, voyons ! Vous êtes l'un des nôtres, maintenant.

QUEENIE *l'emmène en toute hâte vers l'escalier principal.*

SCÈNE 69

INT. JOUR – CELLULE DES CONDAMNÉS À MORT

TINA *est assise sur le siège des condamnés. Elle regarde au-dessous d'elle : des images heureuses de sa famille tourbillonnent dans le bassin, ses parents,* QUEENIE *enfant.*

SOUVENIR :
Nous entrons dans le bassin pour suivre l'un des souvenirs de TINA *: celle-ci pénètre dans l'église des Fidèles de Salem et monte l'escalier. Elle y trouve* MARY LOU *qui se tient au-dessus de* CROYANCE*, la ceinture à la main –* CROYANCE *semble terrifié. Furieuse,* TINA *lance un sortilège qui frappe* MARY LOU *de plein fouet.* TINA *s'avance vers* CROYANCE *pour le réconforter.*

TINA

Ça va aller.

RETOUR sur la vraie TINA *qui regarde toujours dans le bassin avec un sourire nostalgique.*

PLAN de NORBERT *qui jette un bref coup d'œil à son bras :* PICKETT*, silencieux et agile, se faufile vers les liens qui entravent son maître.*

SCÈNE 70
INT. JOUR – COULOIR MENANT AU BUREAU DE GRAVES

PLAN de la porte du bureau de GRAVES.

QUEENIE
(*hors champ*)
Alohomora.

Nous voyons QUEENIE *et* JACOB, *l'air embarrassé, devant la porte du bureau de* GRAVES. QUEENIE *essaye désespérément d'ouvrir la porte.*

QUEENIE
Aberto…

La porte reste verrouillée.

QUEENIE
(*contrariée*)
Oh, il doit utiliser un sort spécial pour fermer son bureau.

SCÈNE 71
INT. JOUR – CELLULE DES CONDAMNÉS À MORT

RETOUR sur PICKETT, *qui achève de défaire les liens attachant les poignets de* NORBERT *et se dépêche de grimper sur l'uniforme de* L'EXÉCUTRICE N° 2.

L'EXÉCUTRICE N° 2
(*à* NORBERT)
Bien. Recueillons vos jolis souvenirs.

L'EXÉCUTRICE N° 2 *lève sa baguette magique vers le front de* NORBERT. *Ce dernier saisit l'occasion : il bondit en arrière, hors d'atteinte, laissant apparaître le Démonzémerveille qu'il lance en direction du bassin. Puis il se retourne très vite et donne un coup de poing au garde, l'assommant net.*

Le Démonzémerveille s'est maintenant déployé en un gigantesque reptile en forme de papillon, effrayant mais d'une étrange beauté, doté d'ailes squelettiques. Il vole en tournant inlassablement au-dessus du bassin.

PICKETT *grimpe sur le bras de* L'EXÉCUTRICE N° 2 *et la mord. Celle-ci sursaute, son attention détournée, ce qui donne à* NORBERT *le temps de lui saisir le bras et de pointer la baguette qu'elle tient à la main sur* L'EXÉCUTRICE N° 1. *Cette dernière, frappée par le sortilège qui jaillit aussitôt, s'effondre par terre, sa baguette tombant dans le bassin. Le liquide enfle alors en un bouillonnement noir et visqueux qui engloutit instantanément la baguette magique.*

En réaction, les souvenirs de TINA *passent du bon au mauvais : nous voyons* MARY LOU *tendre le doigt vers* TINA *dans un geste agressif.*

MARY LOU

Sorcière !

TINA, *toujours hypnotisée par le bassin, paraît de plus en plus terrifiée. Son siège descend peu à peu, s'approchant dangereusement de la surface du liquide.*

Le Démonzémerveille fond soudain à travers la pièce et projette à terre L'EXÉCUTRICE N° 2.

SCÈNE 72
INT. JOUR – COULOIR MENANT AU BUREAU DE GRAVES

Après un rapide coup d'œil autour de lui, JACOB *donne un grand coup de pied dans la porte qui s'ouvre à la volée.* JACOB *fait le guet pendant que* QUEENIE *se rue à l'intérieur du bureau pour se saisir de la valise de* NORBERT *et de la baguette magique de* TINA.

SCÈNE 73

INT. JOUR – CELLULE DES CONDAMNÉS À MORT

TINA *sort brusquement de sa rêverie et se met à crier.*

TINA

MONSIEUR DRAGONNEAU !

Le liquide qui remplit le bassin s'est à présent transformé en une potion de Mort, noire et bouillonnante. Le niveau monte, TINA, *assise sur son siège, est cernée. Elle se lève pour essayer de s'enfuir, tombant à moitié dans sa précipitation. Elle essaye désespérément de reprendre son équilibre.*

NORBERT

NE PANIQUEZ PAS !

TINA

ET COMMENT SUIS-JE CENSÉE RÉAGIR ?

NORBERT *émet alors un son étrange avec sa langue,*

ordonnant au Démonzémerveille de faire à nouveau le tour du bassin.

NORBERT

Sautez…

TINA *regarde le Démonzémerveille. Elle est apeurée, incrédule.*

TINA

VOUS ÊTES FOU ?

NORBERT

Sautez sur lui.

NORBERT *se tient au bord du bassin, observant le Démonzémerveille qui décrit des cercles incessants autour de* TINA.

NORBERT

Tina, écoutez-moi. Je vous rattraperai.
Tina !

Tous les deux se fixent intensément du regard, NORBERT *s'efforçant de la rassurer…*

Le niveau du liquide est maintenant monté en vagues de la taille de TINA *– elle est en train de perdre* NORBERT *de vue.*

NORBERT
(*insistant, très calme*)
Je vous rattraperai. Je vous rattraperai, Tina…

Soudain, NORBERT *lance un cri.*

NORBERT
Sautez !

TINA *saute entre deux vagues, au moment où le Démonzémerveille passe devant elle. Elle atterrit sur le dos de la créature, à quelques centimètres seulement du liquide bouillonnant, puis bondit en avant, droit dans les bras ouverts de* NORBERT.

Pendant une fraction de seconde, NORBERT *et* TINA *échangent un regard, avant que* NORBERT, *d'un mouvement de sa baguette magique, ne rappelle le Démonzémerveille qui s'enroule à nouveau en un cocon.*

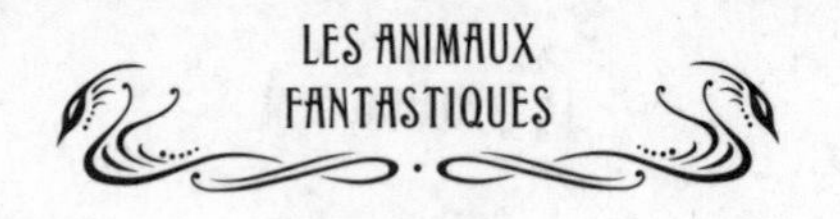

NORBERT *saisit la main de* TINA *et se dirige vers la porte.*

NORBERT

Venez !

SCÈNE 74
INT. JOUR – COULOIR MENANT À LA CELLULE DES CONDAMNÉS À MORT

QUEENIE *et* JACOB *parcourent le couloir à grands pas.*

Plus loin, une alarme se déclenche. D'autres sorciers les croisent précipitamment, dans la direction opposée.

SCÈNE 75
INT. JOUR – HALL DU MACUSA, QUELQUES MINUTES PLUS TARD

L'alarme retentit avec force dans le hall.

Une grande confusion règne dans la foule. Certains se rassemblent en groupes, échangeant des paroles inquiètes, d'autres détalent en tous sens, apeurés, aux aguets.

Une équipe d'Aurors se rue dans le hall, fonçant droit vers l'escalier qui conduit au sous-sol.

SCÈNE 76
INT. JOUR – COULOIR MENANT À LA CELLULE DES CONDAMNÉS À MORT / COULOIR DU SOUS-SOL

NORBERT *et* TINA, *main dans la main, s'enfuient au pas de course dans les couloirs du sous-sol. Soudain, ils tombent sur le groupe des Aurors. Ils tournent les talons, se précipitant derrière des piliers, échappant de justesse aux sortilèges et maléfices qui leur sont lancés.*

NORBERT *leur envoie à nouveau le Démonzémerveille qui serpente dans les airs, se faufile entre les piliers, bloquant les maléfices et projetant les Aurors à terre.*

PLAN RAPPROCHÉ du Démonzémerveille qui enfonce sa trompe dans l'oreille d'un des Aurors.

NORBERT
(*produisant un claquement*)
LAISSE SA CERVELLE. Viens par là.
Allons-y !

TINA *et* NORBERT *poursuivent leur course, le Démonzémerveille, derrière eux, continuant de bloquer les maléfices au passage.*

TINA
C'est *quoi*, cette chose ?

NORBERT

Un Démonzémerveille.

TINA

Eh bien, je l'adore !

PLAN de QUEENIE *et* JACOB *qui s'avancent d'un pas vif dans les couloirs du sous-sol.* NORBERT *et* TINA *tournent brusquement à l'angle d'un mur et manquent de les heurter de plein fouet. Tous les quatre échangent des regards, avec une expression de panique.*

Enfin, QUEENIE *montre la valise d'un geste de la main.*

QUEENIE

Là-dedans !

SCÈNE 77

INT. JOUR – ESCALIER CONDUISANT AUX CELLULES, QUELQUES INSTANTS PLUS TARD

GRAVES *descend précipitamment les marches. Pour la première fois, une expression de panique apparaît sur son visage.*

SCÈNE 78

INT. JOUR – HALL DU MACUSA, QUELQUES MINUTES PLUS TARD

QUEENIE *traverse le hall d'un pas vif, essayant de ne pas se faire remarquer par sa hâte, mais parfaitement consciente de la nécessité de fuir ces lieux. Un* ABERNATHY *déboussolé émerge de la foule des sorciers.*

ABERNATHY

Queenie !

QUEENIE *s'arrête au sommet des marches qui mènent dans la rue, se retourne et reprend contenance.* ABERNATHY *s'approche d'elle, redressant sa cravate pour donner une impression de calme et d'autorité – de toute évidence,* QUEENIE *le rend nerveux.*

ABERNATHY
(*avec un large sourire*)
Où allez-vous ?

QUEENIE *affiche une expression de charmante innocence, cachant sa valise derrière son dos.*

QUEENIE
… je suis malade, monsieur Abernathy.

Elle tousse un peu en ouvrant grands les yeux.

ABERNATHY
Encore ? Et… qu'avez-vous là-dedans ?

Un temps.

QUEENIE *réfléchit rapidement, un sourire à couper le souffle apparaissant soudain sur ses lèvres.*

QUEENIE

Des affaires de fille.

QUEENIE *montre la valise et s'avance d'un petit pas innocent vers* ABERNATHY.

QUEENIE

Vous voulez voir ? Ça ne me gêne pas.

ABERNATHY *paraît très mal à l'aise.*

ABERNATHY

(*déglutissant avec difficulté*)

Nom d'un elfe ! Non, je… Rentrez vous soigner !

QUEENIE

(*avec un doux sourire, elle arrange la cravate d'*ABERNATHY)

Merci !

QUEENIE *tourne aussitôt les talons et se hâte de descendre les marches tandis qu'*ABERNATHY, *le cœur battant à tout rompre, la regarde partir.*

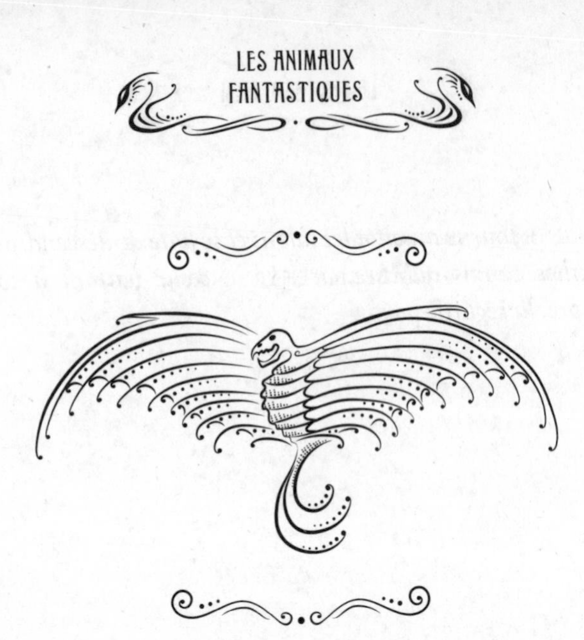

SCÈNE 79
EXT. FIN D'APRÈS-MIDI – RUES DE NEW YORK

PLAN GÉNÉRAL EN PLONGÉE au-dessus de New York. Nous survolons les toits des immeubles avant de descendre rapidement dans des rues et des ruelles de la ville, parmi des voitures pressées et les cris des enfants qui s'amusent.

On s'arrête dans une ruelle, près de l'église des Fidèles de

Salem, où CROYANCE *colle des affiches annonçant la prochaine réunion organisée par* MARY LOU.

GRAVES *arrive dans la ruelle en transplanant.* CROYANCE, *surpris, a un mouvement de recul, mais* GRAVES *s'avance droit vers lui. Sa voix, ses gestes trahissent l'urgence, la nécessité.*

GRAVES

Croyance, as-tu trouvé l'enfant ?

CROYANCE

Je n'y arrive pas.

GRAVES, *impatient mais feignant le calme, tend la main – il a l'air soudain bienveillant, affectueux.*

GRAVES

Montre-moi.

CROYANCE *gémit et se ramasse sur lui-même, il semble presque reculer un peu plus encore.* GRAVES *prend délicatement sa main dans la sienne et la regarde – la main est couverte de coupures rouges et profondes, elles sont à vif et saignent encore.*

GRAVES

Chuuut. Mon garçon, plus vite nous trouverons cet enfant, plus vite cette douleur ne sera plus que de l'histoire ancienne.

GRAVES, *doucement, d'un geste presque séducteur, caresse de son pouce les blessures qui guérissent instantanément.* CROYANCE *le regarde fixement.*

GRAVES *semble prendre une décision. Il affiche une expression sérieuse, confiante, en sortant de sa poche une chaîne à laquelle est attaché le symbole des Reliques de la Mort.*

GRAVES

Je veux te donner ceci, Croyance. Il n'y a que très peu de gens à qui je le confierais.

GRAVES *s'approche, passant la chaîne autour du cou de* CROYANCE, *et murmure à son oreille.*

GRAVES

Très peu.

GRAVES *pose les mains de chaque côté du cou de* CROYANCE *et l'attire vers lui. Il parle à voix basse, avec une certaine intimité.*

GRAVES

Mais toi, tu es différent.

CROYANCE *ne sait plus très bien où il en est, à la fois mal à l'aise et séduit par le comportement de* GRAVES.

GRAVES *pose la main sur le cœur de* CROYANCE, *recouvrant le pendentif.*

GRAVES

Quand tu trouveras l'enfant, touche ce symbole et je le saurai. Et je viendrai à toi.

GRAVES *s'approche encore plus près de* CROYANCE, *son visage à quelques centimètres du cou du jeune homme. Il se dégage un mélange de séduction et de menace lorsqu'il lui murmure des paroles à l'oreille.*

GRAVES

Fais-le, et tu auras une place de choix
parmi les sorciers. Pour toujours.

GRAVES *attire* CROYANCE *contre lui, dans une étreinte qui semble relever davantage de la domination que de l'inclination.* CROYANCE, *submergé par ce qu'il croit être de l'affection, ferme les yeux et se détend un peu.*

GRAVES *se recule lentement, caressant le cou de* CROYANCE. *Celui-ci garde les yeux fermés, espérant que le contact humain va se prolonger.*

GRAVES

(*dans un murmure*)

L'enfant est en train de mourir,
Croyance. Le temps presse.

Brusquement, GRAVES *s'éloigne à grands pas dans la ruelle et transplane.*

SCÈNE 80

EXT. CRÉPUSCULE – UN TOIT AVEC UN PIGEONNIER

Un toit dominant toute la ville. Au milieu se trouve une petite cabane en bois qui abrite une cage à pigeons.

NORBERT *s'avance sur une corniche et regarde la ville immense.* PICKETT *est assis sur son épaule, émettant des claquements.*

JACOB *se trouve à l'intérieur de la cabane et contemple la cage des pigeons lorsque* QUEENIE *entre.*

QUEENIE

Votre grand-père avait des pigeons ? Le mien élevait des chouettes. J'adorais les nourrir.

PLAN de NORBERT *et* TINA. *Celle-ci a rejoint* NORBERT *sur la corniche.*

TINA

Graves a toujours insisté sur le fait que les incidents étaient causés par un animal. Nous devons retrouver toutes vos créatures pour qu'il ne puisse pas s'en servir comme boucs émissaires.

NORBERT

Il n'en manque plus qu'une. Dougal, ma Demiguise.

TINA

Dougal ?

NORBERT

Le problème c'est que, euh… il est invisible.

TINA

(*c'est tellement ridicule qu'elle ne peut s'empêcher de sourire*)

Invisible ?

NORBERT

Oui. Disons la plupart du temps. Il…

TINA

Comment l'attrapez-vous si… ?

NORBERT

(*souriant à son tour*)

Avec beaucoup de difficulté.

TINA

Oh…

Ils échangent un sourire – quelque chose de chaleureux naît soudain entre eux. NORBERT *est toujours un peu gauche, mais il semble incapable de détourner les yeux de* TINA *tandis qu'elle sourit.*

TINA *s'approche lentement de* NORBERT.

Un temps.

TINA

Gnarlak !

NORBERT
(*pris au dépourvu*)
Je vous demande pardon ?

TINA
(*très excitée, avec un air de conspiratrice*)
Gnarlak. C'était un de mes
informateurs quand j'étais Auror.
Il faisait le commerce de créatures
magiques en parallèle.

NORBERT
Il ne s'intéresserait pas aux empreintes
de pattes, par hasard ?

TINA
Il s'intéresse à tout ce qu'il peut vendre.

SCÈNE 81
EXT. NUIT – LE COCHON AVEUGLE

TINA *emmène* NORBERT *et* JACOB *le long d'une ruelle insalubre, encombrée de poubelles, de caisses et d'objets usagés. Elle repère quelques marches qui descendent vers un appartement en sous-sol et leur fait signe de la suivre.*

Les marches semblent conduire à une impasse : une porte a été murée. Une affiche représentant une débutante en robe du soir, minaudant devant un miroir, en recouvre la surface.

TINA *et* QUEENIE *s'arrêtent devant cette affiche. Elles se tournent l'une vers l'autre et, à l'unisson, lèvent leur baguette. Leurs vêtements de travail se transforment alors en robes à la mode chez les noctambules des années 1920.* TINA, *quelque peu embarrassée par sa nouvelle tenue, lève les yeux vers* NORBERT. QUEENIE *regarde* JACOB *avec un sourire canaille.*

TINA *fait un pas vers l'affiche et lève lentement sa baguette. La débutante suit des yeux chacun de ses mouvements. Lentement,* TINA *frappe quatre fois à la porte.*

NORBERT, *sentant qu'il convient de changer de tenue, fait rapidement apparaître un nœud papillon autour de son cou.* JACOB *l'observe, jaloux.*

Un panneau s'ouvre : les yeux peints de la débutante laissent place au regard d'un cerbère suspicieux.

SCÈNE 82
INT. NUIT – LE COCHON AVEUGLE

Un bar clandestin d'aspect miteux, le plafond bas, accueille le rebut de la société magique de New York. Tous les sorciers et sorcières des bas-fonds de la ville sont là et les affiches qui promettent une récompense pour leur capture sont fièrement exhibées sur les murs. On aperçoit un gros titre : GELLERT GRINDELWALD RECHERCHÉ POUR LE MEURTRE DE NON-MAJ EN EUROPE.

Une CHANTEUSE DE JAZZ, *une gobeline très glamour, chante sur une scène. Elle est entourée de gobelins musiciens et des images enfumées s'échappent de sa baguette pour illustrer les paroles de ses refrains. Le décor est minable, délabré, on sent dans l'atmosphère une menace au-delà du divertissement.*

LA CHANTEUSE DE JAZZ
Le phénix pleure de grosses larmes
de perle
Et son chagrin déferle
Car un dragon a pris sa plus belle fille,
Le Billywig n'a plus tourné en vrille

Quand son amoureuse est partie
au loin,
De sa corne, la licorne n'a plus besoin,
L'hippogriffe est plein de mélancolie
Car leurs moitiés à tous deux
sont parties,
C'est en tout cas ce qu'on m'a dit…

JACOB *attend qu'on le serve devant un comptoir apparemment sans barman.*

JACOB
Comment on fait pour boire un coup
dans ce boui-boui ?

Surgie de nulle part, une mince bouteille remplie d'un liquide marron fonce vers lui. Stupéfait, il l'attrape au passage.

La tête d'un ELFE DE MAISON *sort de derrière le comptoir.*

L'ELFE DE MAISON
Ben quoi ? Z'avez jamais vu un elfe
de maison ?

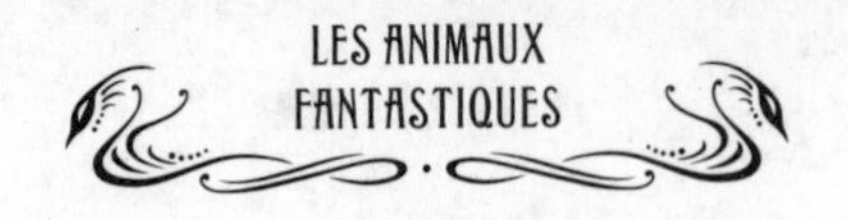

JACOB

Euh, non, si, non, enfin si j'en ai vu,
bien sûr ! J'adore les elfes de maison.

JACOB *s'efforce d'avoir l'air nonchalant. Il enlève le bouchon de la bouteille.*

JACOB

Mon oncle est un elfe de maison.

L'ELFE DE MAISON – *qui n'est pas dupe – se hausse sur la pointe des pieds et s'accoude au bar pour regarder* JACOB.

QUEENIE *s'approche. Elle passe commande, l'air abattu.*

QUEENIE

Six eaux Glouglousse et un Explosard,
s'il vous plaît.

À contrecœur, L'ELFE DE MAISON *s'éloigne d'un pas traînant pour aller chercher ce qu'elle a demandé.* JACOB *et* QUEENIE *échangent un regard.* JACOB *tend la main et prend l'un des verres d'eau Glouglousse.*

QUEENIE
Tous les Non-Maj sont comme vous ?

JACOB
(*s'efforçant d'avoir l'air sérieux, presque séduisant*)
Non. Je suis le seul comme moi.

Sans cesser de fixer QUEENIE *d'un regard insistant,* JACOB *vide son verre. Soudain, il laisse échapper un gloussement rauque, d'une voix haut perchée.* QUEENIE *a un petit rire charmant en voyant son air surpris.*

PLAN d'un ELFE DE MAISON *qui sert un verre à un géant dont la main fait paraître toute petite la chope qu'elle tient.*

On passe sur NORBERT *et* TINA *assis seuls à une table. Un silence gêné s'installe.* NORBERT *observe les personnages présents dans la salle : des sorcières couturées de cicatrices, portant des capuchons, et des sorciers qui lancent des dés gravés de runes en jouant à un jeu dont les mises sont constituées d'objets magiques.*

TINA

(*regardant autour d'elle*)

J'ai arrêté la moitié des gens ici.

NORBERT

Ce ne sont pas mes affaires, me direz-vous, mais… j'ai vu quelque chose dans la potion de Mort là-bas. Je vous ai vue… serrer… ce garçon des Fidèles de Salem dans vos bras.

TINA

Il s'appelle Croyance. Sa mère le bat. Elle bat tous les enfants qu'elle a adoptés, mais c'est lui qu'elle déteste le plus.

NORBERT

(*il comprend brusquement*)

C'était elle, le Non-Maj que vous avez attaqué ?

TINA

C'est ce qui m'a coûté mon travail.

Je m'en suis prise à elle devant toute
une assemblée de ses cinglés de fidèles.
Il a fallu tous les oublietter. Ça a fait
un scandale.

À l'autre bout de la salle, QUEENIE *leur fait signe.*

QUEENIE
(*murmurant*)
C'est notre gars.

GNARLAK *vient d'émerger des profondeurs du bouge. Un cigare aux lèvres, il est élégamment vêtu pour un gobelin. L'air sournois, la démarche souple, il a l'air d'un chef mafieux. Il dévisage les nouveaux venus en s'avançant vers eux.*

LA CHANTEUSE DE JAZZ
(*hors champ*)
La bête remue quand l'amour
la réveille,
Les timides, les dangereuses,
c'est pareil,

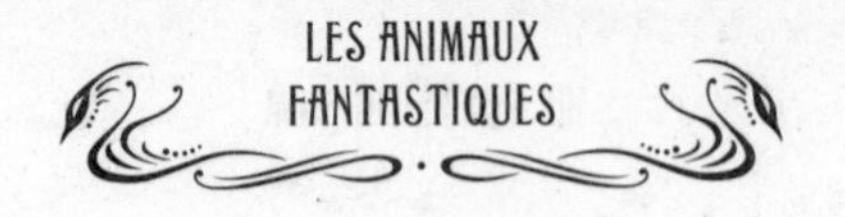

Il froisse les plumes, les fourrures,
les toisons,
Car l'amour nous fait perdre la raison.

GNARLAK *s'assied au bout de leur table. Plein d'assurance, il semble dangereusement maître de lui. Un* ELFE DE MAISON *se hâte de lui apporter un verre.*

GNARLAK

Alors, c'est vous le type à la valise
remplie de monstres, hein ?

NORBERT

Les nouvelles vont vite. J'espérais que
vous pourriez me dire si on avait fait
certaines découvertes. Des traces, ce
genre de choses.

GNARLAK *vide son verre. Un autre* ELFE DE MAISON *lui donne un document à signer.*

GNARLAK

Votre tête est mise à prix très cher,

monsieur Dragonneau. Pourquoi je
vous aiderais au lieu de vous balancer ?

NORBERT

Il va falloir que je vous fasse une offre
alléchante.

L'ELFE DE MAISON *se hâte de repartir en tenant à la main son document signé.*

GNARLAK

Hum, on va dire que ce sera votre
ticket d'entrée.

NORBERT *sort deux Gallions et les fait glisser sur la table en direction de* GNARLAK *qui les regarde à peine.*

GNARLAK

(*pas le moins du monde impressionné*)
Ah. Le MACUSA offre plus que ça.

Un temps.

NORBERT *sort un magnifique instrument métallique et le pose sur la table.*

GNARLAK

Un Lunascope ? J'en ai déjà cinq.

NORBERT *fouille dans la poche de son manteau et en tire un œuf gelé qui émet une lumière couleur rubis.*

NORBERT

Œuf de Serpencendre congelé.

GNARLAK

(*enfin intéressé*)

Oh, vous savez, maintenant…

GNARLAK *aperçoit soudain* PICKETT *qui vient de sortir la tête de la poche de* NORBERT.

GNARLAK

… une minute. C'est un Botruc, c'est ça ?

PICKETT *rentre précipitamment dans sa cachette et* NORBERT *pose une main protectrice sur sa poche.*

NORBERT

Non.

GNARLAK

Oh, allez ! C'est un Botruc.
Ils crochètent les serrures, pas vrai ?

NORBERT

Non, vous ne l'aurez pas.

GNARLAK

Bonne chance pour rentrer vivant,
monsieur Dragonneau, avec tout
le MACUSA à vos trousses.

GNARLAK *se lève et s'en va.*

NORBERT

(*à la torture*)

D'accord.

GNARLAK, *qui tourne le dos à* NORBERT, *a un sourire mauvais.*

NORBERT *sort* PICKETT *de sa poche. Celui-ci se cramponne à la main de son maître, émettant des claquements frénétiques, poussant des gémissements.*

NORBERT

Pickett…

D'un geste lent, NORBERT *tend* PICKETT *à* GNARLAK. PICKETT, *ses petits bras en avant, semble implorer* NORBERT *de le reprendre.* NORBERT *n'ose pas le regarder.*

GNARLAK

Ah, oui…

(*à* NORBERT)

Quelque chose d'invisible fait des ravages vers la Cinquième Avenue. Vous devriez aller jeter un œil chez Macy's. Y a peut-être ce que vous cherchez.

NORBERT
(*sotto voce*)
Dougal…
(*à* GNARLAK)
Une dernière chose. Un certain
M. Graves travaille au MACUSA.
Je me demandais ce que vous saviez
sur lui.

GNARLAK *le fixe du regard. On sent qu'il pourrait dire beaucoup de choses, mais qu'il aimerait mieux mourir que de les révéler.*

GNARLAK
Vous posez beaucoup de questions,
monsieur Dragonneau. Vous risquez
de vous faire tuer.

PLAN d'un ELFE DE MAISON *portant une caisse de bouteilles.*

L'ELFE DE MAISON
V'là le MACUSA !

L'ELFE DE MAISON *transplane. D'autres clients du bar se dépêchent de l'imiter.*

TINA
(*se levant*)
Vous les avez prévenus ?

GNARLAK *les regarde, avec un petit rire menaçant.*

Derrière QUEENIE, *les avis de recherche affichés au mur sont magiquement mis à jour et montrent à présent les visages de* NORBERT *et de* TINA.

Des Aurors arrivent en transplanant dans le bar.

JACOB, *d'un air innocent, bondit vers* GNARLAK.

JACOB
Désolé, monsieur Gnarlak.

JACOB *frappe* GNARLAK *d'un coup de poing en plein visage, le projetant en arrière.* QUEENIE *semble ravie.*

JACOB

Il me rappelle mon chef !

À travers la salle, divers clients sont appréhendés par les Aurors.

NORBERT *cherche désespérément* PICKETT *par terre. Autour de lui, des gens courent, se précipitent en tous sens pour échapper aux Aurors, essayant de s'enfuir du bar.* NORBERT *finit par trouver* PICKETT *sur le pied d'une table. Il l'attrape et se hâte de rejoindre les autres.*

JACOB *prend au passage un autre verre d'eau Glouglousse et le vide d'un trait. Il se met à rire aux éclats tandis que* NORBERT *lui saisit le coude. Le groupe des quatre transplane.*

SCÈNE 83
INT. NUIT – ÉGLISE DES FIDÈLES DE SALEM

La longue salle est faiblement éclairée par quelques lampes. Il règne un silence presque total.

CHASTETÉ, *l'air bien sage, est assise à la longue table, au milieu de l'église. Avec des gestes routiniers, elle range les tracts et les met dans de petits sacs.*

MODESTIE *est assise en face d'elle, vêtue d'une chemise de nuit. Elle lit un livre. Tout au fond,* MARY LOU *s'affaire dans sa chambre à coucher.*

MODESTIE *est la seule à remarquer un petit bruit en provenance du premier étage.*

SCÈNE 84

INT. NUIT – CHAMBRE DE MODESTIE

Une pièce austère. Un lit à une place, une lampe à pétrole, une broderie accrochée au mur sur laquelle on lit : « Un Alphabet du Péché ». Les poupées de MODESTIE *sont alignées sur une étagère. L'une d'elles a un nœud coulant autour du cou, une autre est attachée à un bûcher.*

CROYANCE *essaye tant bien que mal de se glisser sous le lit de* MODESTIE. *Il jette un coup d'œil aux boîtes et aux objets qui sont cachés là et s'immobilise soudain, le regard fixe…*

SCÈNE 85

INT. NUIT – ÉGLISE DES FIDÈLES DE SALEM

MODESTIE *se tient au bas des marches et regarde vers le haut de l'escalier. Elle monte lentement.*

SCÈNE 86

INT. NUIT – CHAMBRE DE MODESTIE

GROS PLAN sur le visage de CROYANCE, *sous le lit. Il vient de trouver un jouet : une fausse baguette magique. Il la contemple, incapable d'en détacher les yeux.*

MODESTIE *entre derrière lui.*

MODESTIE

Qu'est-ce que tu fais, Croyance ?

Dans sa hâte de se relever, CROYANCE *se cogne la tête contre le cadre du lit. Il émerge couvert de poussière, l'air apeuré. Il est soulagé de voir que c'est seulement* MODESTIE *qui vient d'entrer mais celle-ci, en voyant la baguette magique, paraît terrifiée.*

CROYANCE

Où t'as eu ça ?

MODESTIE

(*effrayée, elle murmure*)

Rends-la-moi, Croyance. C'est qu'un jouet.

La porte s'ouvre à la volée. MARY LOU *apparaît. Son regard se pose successivement sur* MODESTIE, *sur* CROYANCE, *puis sur la fausse baguette – nous ne l'avions jamais vue aussi en colère.*

MARY LOU

(*à* CROYANCE)

Qu'est-ce que c'est ?

SCÈNE 87

INT. NUIT – ÉGLISE DES FIDÈLES DE SALEM

PLAN FIXE de CHASTETÉ *qui continue de remplir les sacs de tracts.*

MARY LOU
(*hors champ*)

Enlève-la !

CHASTETÉ *lève les yeux vers le palier du premier étage.*

SCÈNE 88
INT. NUIT – PALIER DU PREMIER ÉTAGE DANS L'ÉGLISE DES FIDÈLES DE SALEM

MARY LOU *se tient sur le palier qui domine l'espace principal de l'église. Vue en contre-plongée, sa silhouette semble investie d'une certaine puissance, presque déifiée.*

MARY LOU *se tourne à nouveau vers* CROYANCE *et, lentement, avec une expression de profond dégoût, elle casse la baguette en deux.*

Alors que MODESTIE *se recroqueville,* CROYANCE *commence à enlever sa ceinture.* MARY LOU *tend la main et la prend.*

CROYANCE
(*suppliant*)
Maman…

MARY LOU
Je ne suis pas ta mère. Ta mère était
une femme méchante et anormale.

MODESTIE *essaye de s'interposer.*

MODESTIE
C'était à moi.

MARY LOU
Modestie…

Soudain, la ceinture est arrachée des mains de MARY LOU *par un moyen surnaturel et tombe à l'autre bout de la pièce comme un serpent mort.* MARY LOU *regarde sa main qui, sous la force du mouvement, a été entaillée et saigne.*

MARY LOU *est abasourdie. Elle regarde alternativement* MODESTIE *et* CROYANCE.

MARY LOU
(*effrayée, mais ne le montrant pas*)
Que se passe-t-il ?

MODESTIE, *d'un air de défi, soutient son regard. En arrière-plan, on voit* CROYANCE *accroupi, serrant ses genoux contre lui, le corps tremblant.*

S'efforçant de garder la maîtrise d'elle-même, MARY LOU *s'avance lentement pour ramasser la ceinture. Mais avant qu'elle ait pu la toucher, la ceinture s'enfuit en serpentant sur le sol.*

MARY LOU *recule, des larmes de peur lui montant aux yeux. Elle se retourne lentement vers les enfants.*

Une force toute-puissante explose alors en elle : une masse sombre, bestiale, hurlante, la consume de l'intérieur. Elle lance un cri à glacer le sang tandis que la force la projette en arrière, contre une poutre de bois, et la fait tomber par-dessus la rambarde du palier.

MARY LOU *s'écrase sur le sol de l'église, le corps sans vie, son visage portant les mêmes marques que celui du* SÉNATEUR SHAW.

La force des Ténèbres vole à travers l'église, renversant la table et détruisant tout sur son passage.

<u>SCÈNE 89</u>
EXT. NUIT – GRAND MAGASIN

PLAN GÉNÉRAL d'un grand magasin, ses vitrines pleines de mannequins parés de vêtements glamour.

JACOB *s'approche d'une vitrine et regarde un sac à main qui*

glisse, apparemment de sa propre initiative, le long du bras d'un mannequin. NORBERT, TINA *et* QUEENIE *se hâtent derrière lui et observent le sac qui reste suspendu dans les airs, puis flotte vers l'intérieur du magasin.*

SCÈNE 90

INT. NUIT – GRAND MAGASIN

C'est un grand magasin aux rayons joliment présentés, décorés pour Noël, avec des allées remplies de bijoux de prix, de chaussures, de chapeaux et de parfums. L'endroit est fermé pour la nuit, toutes les lumières sont éteintes, il n'y a pas le moindre bruit.

Nous voyons le sac à main voler le long de l'allée centrale, accompagné de petits grognements.

NORBERT *et les trois autres s'avancent sur la pointe des pieds à l'intérieur du magasin et vont se cacher derrière un grand décor en plastique installé pour Noël. Ils suivent des yeux le sac qui flotte en l'air.*

NORBERT
(*murmurant*)
Les Demiguises sont d'un naturel plutôt pacifique, mais elles peuvent mordre sévèrement si on les provoque.

La Demiguise apparaît, semblable à un orang-outan, avec un étrange visage à la peau flétrie. La créature grimpe sur un présentoir pour atteindre une boîte de bonbons.

NORBERT
(*à* JACOB *et* QUEENIE)
Vous deux… allez par là.

Ils se mettent en chemin.

NORBERT
Et surtout essayez de ne pas être prévisibles.

JACOB *et* QUEENIE *échangent des regards perplexes avant de s'éloigner.*

On entend au loin un petit rugissement.

PLAN de la Demiguise qui, en percevant ce bruit, lève les yeux vers le plafond. Puis elle continue de prendre des bonbons dont elle remplit son sac à main.

TINA
(*hors champ*)
C'est la Demiguise ?

NORBERT
Non. Mais je pense que c'est la raison pour laquelle la Demiguise est ici.

PLAN de NORBERT *et* TINA *qui parcourent rapidement une allée en direction de la Demiguise qui traverse à présent le magasin.*

S'apercevant qu'elle a été repérée, la Demiguise se retourne et regarde NORBERT *d'un air interrogateur. Elle monte ensuite un escalier situé sur le côté.* NORBERT *sourit et la suit.*

SCÈNE 91
INT. NUIT – UN ENTREPÔT DU MAGASIN, DANS LES COMBLES

C'est un immense grenier, rempli du sol au plafond d'étagères surchargées de caisses contenant faïences et porcelaines : services de table, tasses, vaisselle en général.

La Demiguise s'avance dans le grenier à la lueur d'un rayon de lune. Elle jette un regard autour d'elle, puis s'arrête et vide son sac plein de confiseries.

NORBERT
(*hors champ*)
Sa vue fonctionne sur la probabilité, si bien qu'elle anticipe le futur immédiat le plus plausible.

NORBERT *apparaît, se glissant derrière la Demiguise.*

TINA
(*hors champ*)
Que fait-elle ?

NORBERT
Elle s'occupe du bébé.

La Demiguise tend l'un des bonbons, comme si elle l'offrait à quelqu'un.

TINA
Qu'est-ce que vous avez dit ?

NORBERT
(*très calme, dans un murmure*)
C'est ma faute. Je croyais les avoir tous, mais… j'ai dû mal compter.

JACOB *et* QUEENIE *entrent silencieusement dans le champ.* NORBERT *s'approche doucement et s'agenouille à côté de la Demiguise qui lui fait de la place devant le tas de bonbons.* NORBERT *pose soigneusement sa valise par terre.*

PLAN de TINA. *Un rayon de lumière révèle les écailles d'une grande créature qui se cache dans les poutres du grenier.* TINA *lève les yeux d'un air horrifié.*

TINA

Et le bébé, c'est ça ?

PLAN sur le plafond alors qu'apparaît la tête d'un Occamy. Tout comme les petits oiseaux bleus en forme de serpent qu'on a vus dans la valise, cet Occamy, qui est énorme, est enroulé sur lui-même ; il remplit tout l'espace sous le toit du grenier.

La créature descend lentement en direction de NORBERT *et de la Demiguise qui, une fois de plus, offre un bonbon.* NORBERT *reste immobile.*

NORBERT

Les Occamys sont choranaptyxiques.
Ils – grandissent – pour remplir –
l'espace – environnant.

L'Occamy repère NORBERT *et tend la tête vers lui. Avec douceur,* NORBERT *avance une main dans sa direction.*

NORBERT

Maman est là.

PLAN de la Demiguise dont les yeux étincellent d'une lueur bleue – le signe qu'elle a une prémonition.

SUITE D'INSERTS RAPIDES :
Une boule de Noël roule sur le sol. L'Occamy est pris de panique, NORBERT *s'accrochant à son dos est projeté à travers la salle. Tout à coup, la Demiguise se retrouve sur les épaules de* JACOB.

RETOUR sur la Demiguise dont les yeux sont redevenus marron.

QUEENIE *s'approche lentement, le regard fixé sur l'Occamy. Au passage, elle donne involontairement un coup de pied dans une minuscule boule de verre qui se trouve par terre. La petite boule de Noël tinte en roulant. En entendant ce son, l'Occamy se cabre et lance un cri perçant.* NORBERT *s'efforce de calmer l'immense créature.*

NORBERT

Woah ! Woah !

JACOB *et* QUEENIE *reculent d'un pas trébuchant, cherchant un abri. La Demiguise s'enfuit et saute dans les bras de* JACOB.

L'Occamy fond en piqué, emportant NORBERT *sur son dos. Il traverse le grenier à grands battements d'ailes et renverse des étagères en tous sens.* NORBERT *crie.*

NORBERT

Bon, il nous faut un insecte ! N'importe quel insecte – et une théière. Vite ! Une théière !

TINA *rampe à la manière d'un soldat à travers tout ce chaos, évitant les objets qui tombent, essayant de trouver ce que* NORBERT *a demandé.*

Dans leurs battements, les ailes de l'Occamy frappent le sol, manquant de peu JACOB *qui titube de tous côtés, gêné par la Demiguise accrochée maintenant dans son dos.*

NORBERT *a de plus en plus de difficultés à se cramponner à l'Occamy, alors que celui-ci, totalement désorienté, bat des ailes en hauteur, à présent, détruisant le toit du bâtiment.*

JACOB *se tourne. La Demiguise et lui repèrent un cafard isolé qui marche sur une caisse.* JACOB *tend la main pour l'attraper lorsqu'une partie de l'Occamy s'écrase par terre, détruisant la caisse et toute chance de saisir l'insecte.*

PLAN de TINA *qui rampe sur le sol d'un air décidé, à la recherche d'un cafard.*

PLAN de QUEENIE *qui crie, projetée à terre par la force de l'Occamy.* JACOB *court vers elle et plonge en avant, atterrissant à plat ventre par terre. Il vient enfin de mettre la main sur un cafard.* TINA *se relève, serrant une théière contre elle. Elle crie.*

TINA

Théière !

En entendant ce bruit, l'Occamy dresse à nouveau la tête. Sous l'effet de ce mouvement, sa queue se tord dans tous les sens, écrasant et immobilisant JACOB *– ainsi que la Demiguise – contre l'une des poutres.*

JACOB *et* TINA *se trouvent à présent à deux extrémités*

opposées du grenier. Ils n'osent plus bouger, séparés par des pans entiers du corps couvert d'écailles de l'Occamy.

PLAN sur JACOB *et la Demiguise. La Demiguise lance un coup d'œil furtif sur le côté et disparaît aussitôt.* JACOB *se tourne lentement pour suivre le regard de la créature, il voit alors la tête de l'Occamy à quelques centimètres de la sienne. L'animal contemple avec intensité le cafard qu'il tient dans sa main.* JACOB *ose à peine respirer.*

NORBERT *passe la tête derrière celle de l'Occamy et murmure.*

NORBERT

Cafard dans théière…

JACOB *déglutit difficilement, essayant de ne pas croiser le regard de l'immense créature, à côté de lui.*

JACOB

(*essayant d'amadouer l'Occamy*)

Chuuuuut.

JACOB *écarquille les yeux, la tête tournée vers* TINA, *s'efforçant de l'avertir de ses intentions.*

AU RALENTI :
JACOB *lance le cafard. Lorsqu'il s'élève en l'air, le corps de l'Occamy se remet en mouvement, se déployant et ondulant à travers le grenier.*

NORBERT *saute du dos de l'Occamy et atterrit sans mal sur le sol pendant que* QUEENIE *se met à l'abri en se protégeant la tête d'une passoire.*

TINA *s'élance, la théière tendue devant elle, sautant par-dessus les anneaux que forme le corps de l'Occamy – un spectacle héroïque. Elle finit sa course à genoux au centre de la salle et le cafard tombe pile dans la théière.*

L'Occamy se cabre, diminuant rapidement de volume à mesure qu'il se dresse, avant de plonger verticalement. TINA *baisse la tête, se préparant à un choc. L'Occamy fond vers la théière et se glisse en douceur à l'intérieur.*

NORBERT *se précipite pour plaquer un couvercle sur la théière.* TINA *et lui respirent profondément : soulagement.*

NORBERT

Choranaptyxique. Ils *rapetissent* aussi pour entrer dans l'espace environnant.

GROS PLAN à l'intérieur de la théière : l'Occamy, à présent minuscule, avale le cafard.

TINA

Dites-moi la vérité. C'est tout ce qui s'est échappé de la valise ?

NORBERT

Oui, c'est tout. Et c'est la vérité.

SCÈNE 92

INT. NUIT – VALISE DE NORBERT, QUELQUES INSTANTS PLUS TARD

JACOB, *qui tient la Demiguise par la main, l'amène dans son enclos.*

NORBERT
(*hors champ*)

Et voilà.

JACOB *soulève la Demiguise pour la remettre dans son nid.*

JACOB
(*à la Demiguise*)

T'es content de rentrer ? Tu dois être fatigué, mon pote. Allez, grimpe. Et voilà. C'est bien.

TINA *tient précautionneusement entre ses mains le bébé Occamy. Surveillée par* NORBERT, *elle le dépose dans son nid avec délicatesse.*

PLAN FIXE de TINA *: elle regarde l'Éruptive qui traverse son enclos d'un pas lourd. Le visage de* TINA *exprime l'émerveillement et l'admiration.* JACOB *a un petit rire en la voyant ainsi.*

PICKETT *inflige un douloureux pinçon à* NORBERT, *à l'intérieur de sa poche.*

NORBERT

Aïe !

NORBERT *sort* PICKETT *et le tient au creux de sa main en faisant le tour des différents enclos.*

Nous voyons le Niffleur assis sur un petit bout de terrain, entouré de tous ses trésors.

NORBERT

Oui. Je crois qu'il faut qu'on parle.
Je ne t'aurais pas laissé avec lui, Pickett.
Pick, je préférerais me couper une
main que de t'abandonner… après tout
ce que tu as fait pour moi. Non,
franchement.

NORBERT *est arrivé à l'endroit où vit* FRANK.

NORBERT

Pick, je n'aime pas quand tu fais la tête,
je te l'ai déjà dit, non ? Pickett ?
Fais-moi un beau sourire. Pickett,
fais-moi un…

PICKETT *tire sa langue minuscule et émet un bruit très grossier en direction de* NORBERT.

NORBERT
Je vois. Tu vaux mieux que ça.

NORBERT *pose* PICKETT *sur son épaule et s'occupe de divers seaux de nourriture.*

GROS PLAN d'une photo, à l'intérieur de la cabane de NORBERT. *Elle montre une très belle jeune fille qui sourit d'une manière engageante.* QUEENIE *regarde la photo.*

QUEENIE
Norbert, qui est-ce ?

NORBERT
Oh… c'est personne.

QUEENIE
(*lisant dans ses pensées*)
Leta Lestrange. J'ai entendu parler de cette famille. Ils ne sont pas un peu… voyez ?

NORBERT

Ne lisez pas dans mes pensées, s'il vous plaît.

Un temps pendant lequel QUEENIE *apprend toute l'histoire en lisant ce que* NORBERT *a dans la tête. Elle paraît à la fois intriguée et attristée.* NORBERT *poursuit ses occupations, s'efforçant de son mieux de faire comme si* QUEENIE *n'avait pas pénétré ses pensées.*

QUEENIE *s'approche de* NORBERT.

NORBERT

(*gêné et en colère*)

Désolé, je vous ai demandé d'arrêter.

QUEENIE

Je sais. C'est moi qui suis désolée.
C'est plus fort que moi. C'est plus
facile de lire quand les gens souffrent.

NORBERT

Je ne souffre pas. Et puis c'était il y a longtemps.

QUEENIE

Vous étiez très liés quand vous étiez
à l'école.

NORBERT

(*essayant de minimiser*)

Ni l'un ni l'autre n'étions faits pour
l'école. Ça nous a beaucoup…

QUEENIE

Ça vous a beaucoup rapprochés.
Pendant des années.

En arrière-plan, on voit TINA *qui a remarqué que* NORBERT *et* QUEENIE *sont en train de parler.*

QUEENIE

(*préoccupée*)

C'est quelqu'un qui prenait. Il vous
faut quelqu'un qui donne.

TINA *s'avance vers eux.*

TINA

De quoi parlez-vous, tous les deux ?

NORBERT

Euh… de rien.

QUEENIE

D'école.

NORBERT

D'école.

JACOB

(*mettant sa veste*)

Vous avez dit école ? Il y a une école ?
Une école de sorcellerie ici, en
Amérique ?

QUEENIE

Bien sûr. Ilvermorny ! C'est de loin
la meilleure école de sorcellerie
au monde !

NORBERT
Non, vous apprendrez que la meilleure
école de sorcellerie au monde,
c'est Poudlard.

QUEENIE
POUDLARNAQUE.

Un formidable grondement retentit. FRANK, *l'Oiseau-Tonnerre, s'élève dans les airs en poussant un cri perçant, battant vigoureusement des ailes, le corps devenu noir et or, ses yeux lançant des éclairs.*

NORBERT *se relève et observe l'oiseau d'un air inquiet.*

NORBERT
Le danger. Il sent le danger.

SCÈNE 93

EXT. NUIT – ÉGLISE DES FIDÈLES DE SALEM

GRAVES *apparaît dans l'ombre en transplanant. Sa baguette magique brandie, il s'approche lentement de l'église, examinant la scène de désolation. Il est plus intrigué, voire excité, que mal à l'aise.*

SCÈNE 94

INT. NUIT - ÉGLISE DES FIDÈLES DE SALEM

L'endroit est détruit. Des rayons de lune filtrent à travers des trous dans le toit et CHASTETÉ *est étendue par terre, morte, parmi les débris.*

GRAVES *entre lentement dans l'église, sa baguette toujours pointée. Quelque part dans les décombres, on entend des sanglots étranges, à donner le frisson.*

Le corps de MARY LOU *est allongé sur le sol, devant lui. Les marques de son visage sont visibles au clair de lune.* GRAVES *regarde le cadavre : on voit dans son expression qu'il commence à comprendre quelque chose. Il n'éprouve aucun sentiment d'horreur, à peine de la méfiance, mais plutôt un intense intérêt.*

PLAN RAPPROCHÉ de CROYANCE, *réfugié au fond de l'église, gémissant, les doigts crispés sur le pendentif des Reliques de la Mort.* GRAVES *s'avance vers lui d'un pas rapide, se penche, prend délicatement la tête de* CROYANCE *entre ses mains. Il n'y a pourtant pas beaucoup de tendresse dans sa voix lorsqu'il lui parle.*

GRAVES
L'Obscurial… était là ? Où est-il allé ?

CROYANCE *lève les yeux vers* GRAVES. *Il est complètement traumatisé et incapable de donner des explications. Son visage exprime un besoin d'affection.*

CROYANCE
Aidez-moi. Aidez-moi.

GRAVES

Ne m'as-tu pas dit que tu avais
une autre sœur ?

CROYANCE *se remet à pleurer.* GRAVES *pose une main sur son cou, son visage crispé par la tension alors qu'il s'efforce de rester calme.*

CROYANCE

Je vous en supplie, aidez-moi.

GRAVES

Où est ton autre sœur, Croyance ?
La petite, où est-elle allée ?

CROYANCE *tremble et marmonne.*

CROYANCE

Je vous en supplie, aidez-moi.

Soudain mauvais, GRAVES *gifle violemment* CROYANCE.

Stupéfait, CROYANCE *fixe* GRAVES *du regard.*

GRAVES

Ta sœur court un très grand danger.
Nous devons la trouver.

CROYANCE *est effaré, incapable de comprendre que son héros l'ait frappé.* GRAVES *le saisit et le remet debout. Puis tous deux transplanent.*

SCÈNE 95

EXT. NUIT – UN IMMEUBLE DANS LE BRONX

Une rue déserte. GRAVES, *conduit par* CROYANCE, *s'approche d'un immeuble.*

SCÈNE 96
INT. NUIT – HALL D'ENTRÉE D'UN IMMEUBLE DANS LE BRONX

À l'intérieur, l'immeuble est délabré, miteux. CROYANCE *et* GRAVES *montent l'escalier.*

GRAVES
(*hors champ*)
C'est quoi, cet endroit ?

CROYANCE
C'est ici que maman a adopté Modestie. Elle vient d'une famille de douze enfants. Ses frères et ses sœurs lui manquent. Elle en parle toujours.

GRAVES, *sa baguette à la main, regarde autour du palier – des portes crasseuses se multiplient dans toutes les directions.*

CROYANCE, *encore sous le choc de ce qu'il vient de vivre, s'est immobilisé dans l'escalier.*

GRAVES

Où est-elle ?

CROYANCE *baisse les yeux, désemparé.*

CROYANCE

Je sais pas.

GRAVES *devient de plus en plus impatient. Il est si près du but. Il s'avance à grands pas dans l'une des chambres.*

GRAVES

(*méprisant*)

Tu es un Cracmol, Croyance. Je l'ai senti à la seconde où je t'ai vu.

Les traits de CROYANCE *s'affaissent.*

CROYANCE

Quoi ?

GRAVES *remonte le couloir en sens inverse pour essayer une autre porte. Il a presque oublié de faire semblant de s'intéresser à* CROYANCE.

GRAVES

Tu as des ancêtres sorciers, mais aucun pouvoir.

CROYANCE

Mais vous avez dit que vous alliez m'apprendre.

GRAVES

Tu ne peux pas apprendre. Ta mère est morte. C'est ta récompense.

GRAVES *montre du doigt un autre palier.*

GRAVES

J'en ai fini avec toi.

CROYANCE *reste immobile. Il suit* GRAVES *des yeux, sa respiration devenant haletante, précipitée, comme s'il essayait de retenir quelque chose en lui.*

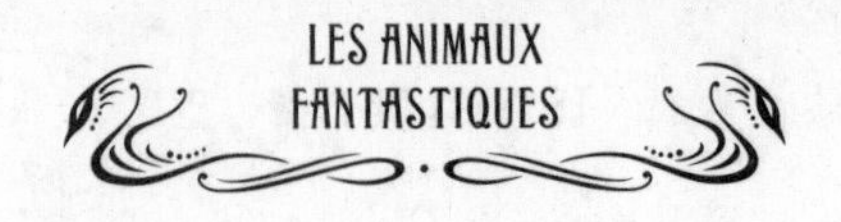

GRAVES *traverse des pièces obscures. Un minuscule mouvement se manifeste à proximité.*

GRAVES

Modestie ?

GRAVES *s'avance prudemment dans une salle de classe à l'abandon, au bout d'un couloir.*

SCÈNE 97

INT. NUIT – IMMEUBLE DU BRONX, UNE PIÈCE À L'ABANDON

PLAN de MODESTIE, *recroquevillée dans un coin, les yeux écarquillés de terreur, le corps tremblant, alors que* GRAVES *s'approche d'elle.*

GRAVES
(*murmurant*)

Modestie.

Il se penche et range sa baguette, jouant une fois de plus l'adulte rassurant.

GRAVES
(*doucement*)
Tu n'as aucune raison d'avoir peur.
Je suis venu avec ton frère, Croyance.

MODESTIE *gémit de terreur en entendant prononcer le nom de* CROYANCE.

GRAVES
Allez, sors de là…

GRAVES *tend la main.*

Un faible craquement se fait entendre.

PLAN du plafond sur lequel apparaissent des fissures qui se répandent en dessinant comme une toile d'araignée. De la poussière se met à tomber tandis que les murs tremblent d'une manière incontrôlable. La pièce commence à se désintégrer autour d'eux.

GRAVES, *debout, regarde* MODESTIE, *mais elle est manifestement terrifiée et ce n'est pas elle qui est à la source de ce phénomène magique.* GRAVES *se tourne et sort lentement sa baguette magique. Face à lui, le mur s'effondre comme s'il s'était changé en sable, révélant un autre mur un peu plus loin.* MODESTIE *n'a plus aucune importance pour lui, à présent. Il est figé sur place, transporté de joie, en voyant les autres murs s'écrouler, mais il est également conscient qu'il a commis une erreur colossale…*

Le dernier mur s'effondre. GRAVES *fait face à* CROYANCE *qui le regarde fixement, incapable de contrôler sa fureur, son sentiment d'avoir été trahi, son amertume.*

GRAVES

Croyance… Je te dois des excuses…

CROYANCE

Je vous faisais confiance. Je croyais que
vous étiez mon ami. Je croyais que
vous étiez différent.

Les traits de CROYANCE *se déforment, sa rage le déchirant de l'intérieur.*

GRAVES
Tu peux le contrôler, Croyance.

CROYANCE
(*il murmure, croisant enfin le regard de* GRAVES)
Je crois pas que j'en aie envie, monsieur Graves.

L'Obscurus bouge dans un horrible mouvement sous la peau de CROYANCE. *Un grondement effroyable, inhumain, sort de sa bouche, d'où une forme sombre commence à se déployer.*

Cette force s'empare de CROYANCE, *son corps tout entier explosant en une masse obscure qui bondit par la fenêtre, manquant* GRAVES *de peu.*

GRAVES *reste là, regardant l'Obscurus s'échapper au-dehors et filer au-dessus de la ville.*

SCÈNE 98

EXT. NUIT – IMMEUBLE DU BRONX

Nous suivons l'Obscurus qui serpente et se tortille à travers la ville en répandant la destruction : des voitures sont projetées en l'air, des rues explosent et des bâtiments sont démolis. L'Obscurus laisse derrière lui un spectacle de désolation.

SCÈNE 99

EXT. NUIT – TOIT DE L'IMMEUBLE SQUIRE'S

NORBERT, TINA, JACOB *et* QUEENIE *se trouvent sur le toit d'un immeuble surmonté d'une grande enseigne lumineuse qui indique : SQUIRE'S. De là, ils voient nettement le chaos qui règne dans les rues.*

JACOB
(*effaré*)
Vingt dieux ! C'est lui ? C'est le truc, là, l'Obscuria ?

Des sirènes retentissent. NORBERT *observe ce qu'il se passe, mesurant l'étendue des dégâts.*

NORBERT

Il est plus puissant que tous les
Obscurials dont j'ai entendu parler…

On entend au loin une explosion particulièrement forte. La ville, à leurs pieds, est en train de brûler. NORBERT *met sa valise dans les mains de* TINA *et sort un carnet de sa poche.*

NORBERT

Si je ne reviens pas, occupez-vous de
mes créatures. Tout ce que vous devez
savoir se trouve là-dedans.

Il tend le carnet à TINA, *arrivant à peine à la regarder dans les yeux.*

TINA

Quoi ?

NORBERT
(*se tournant vers l'Obscurus*)
Ils ne le tueront pas.

Ils échangent enfin un regard. On sent que, en cet instant, ils auraient eu beaucoup de choses à se dire. Puis NORBERT *saute du toit et transplane.*

TINA
(*désemparée*)
NORBERT !

TINA *fourre la valise dans les bras de* QUEENIE.

TINA
Tu l'as entendu ? Occupe-toi d'eux.

TINA *transplane à son tour.* QUEENIE *donne la valise à* JACOB *sans lui demander son avis.*

QUEENIE
Tenez, gardez ça, mon chou.

Elle s'apprête à transplaner, mais JACOB *s'accroche à elle et elle hésite.*

JACOB

Non, non, non !

QUEENIE

Je dois y aller sans vous. Laissez-moi, s'il vous plaît, Jacob.

JACOB

Hé, hé ! C'est vous qui avez dit que j'étais un des vôtres… pas vrai ?

QUEENIE

C'est trop dangereux.

À nouveau, on entend au loin une forte explosion. JACOB *se cramponne encore plus à* QUEENIE. *Elle lit dans ses pensées et son visage exprime alors l'étonnement et la tendresse lorsqu'elle voit ce qu'il a vécu pendant la guerre.* QUEENIE *est bouleversée, épouvantée. Très lentement, elle lève une main et la pose sur la joue de* JACOB.

SCÈNE 100

EXT. NUIT – TIMES SQUARE

Le quartier est plongé dans un chaos total. Des immeubles sont en feu, des gens hurlent et courent en tous sens, des voitures détruites sont abandonnées sur la chaussée.

GRAVES *s'avance dans Times Square, indifférent au malheur qui l'entoure, uniquement concentré sur une chose.*

L'Obscurus se tortille à l'autre bout de la place. Son énergie, encore plus furieuse à présent, traverse des couches successives de souffrance et d'angoisse, conséquences de la solitude et du tourment. Des éclats de lumière rouge flamboient en son sein, dans un rugissement. Le visage de CROYANCE, *déformé, douloureux, est tout juste visible à l'intérieur de cette masse.* GRAVES *se tient devant, l'air triomphant.*

Un peu plus loin dans la rue, NORBERT *apparaît par transplanage et observe.*

GRAVES
(*criant pour se faire entendre de* CROYANCE *dans ce vacarme tout-puissant*)
Survivre aussi longtemps avec ça à l'intérieur de toi, Croyance, c'est un miracle. Tu es un miracle. Viens avec moi. Pense à ce que nous pourrions accomplir ensemble.

L'Obscurus s'approche de GRAVES. *On entend un cri monter de la masse mouvante lorsque sa ténébreuse énergie explose à nouveau, projetant* GRAVES *à terre. La force envoie une onde de choc à travers toute la place,* NORBERT *plonge derrière une carcasse de voiture pour se protéger.*

TINA *apparaît à son tour en transplanant et s'abrite derrière un autre véhicule en feu, tout près de* NORBERT. *Ils se regardent.*

TINA

Norbert !

NORBERT

Le garçon des Fidèles de Salem.
C'est lui l'Obscurial.

TINA

Ce n'est pas un enfant.

NORBERT

Je sais. Mais je l'ai vu. Sa puissance doit
être immense. Il a quand même réussi
à survivre. C'est incroyable.

Alors que l'Obscurus crie encore une fois, TINA *prend une décision.*

TINA

Norbert ! Sauvez-le.

Elle se précipite vers GRAVES. NORBERT, *comprenant, transplane.*

SCÈNE 101

EXT. NUIT – TIMES SQUARE

GRAVES *s'approche de plus en plus près de l'Obscurus qui continue à gémir et hurler en sa présence.* GRAVES *sort sa baguette magique qu'il brandit…*

TINA *surgit derrière* GRAVES. *Elle lui lance un sortilège, mais il fait volte-face juste à temps – ses réflexes sont admirables, stupéfiants.*

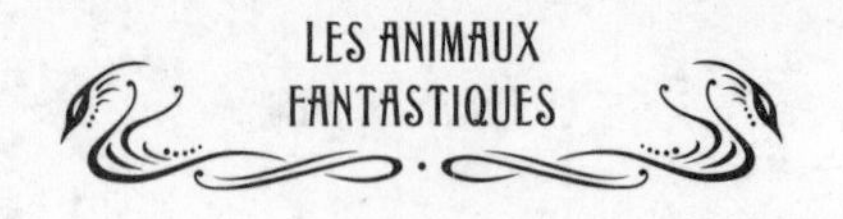

L'Obscurus disparaît à présent. GRAVES, *profondément irrité, marche vers* TINA *en détournant son sortilège avec une parfaite aisance.*

GRAVES

Vous avez le chic pour débarquer là
où on ne veut pas de vous, Tina.

GRAVES *jette un sortilège d'Attraction sur une voiture abandonnée qui traverse soudain les airs en direction de* TINA. *Celle-ci l'évite de justesse en plongeant hors de sa trajectoire.*

Lorsque TINA *se relève,* GRAVES *a transplané.*

SCÈNE 102

INT. NUIT – MACUSA, SERVICE DES AFFAIRES MAJEURES

Un plan métallique de New York s'allume en montrant les

zones d'activité magique intense. MME PICQUERY, *entourée d'Aurors de haut rang, regarde, stupéfaite.*

MME PICQUERY
Réglez ça… ou nous serons découverts
et ce sera la guerre.

Les Aurors disparaissent aussitôt en transplanant.

SCÈNE 103
EXT. NUIT – TOITS DE NEW YORK

Dans une série de transplanages express, NORBERT *bondit aussi vite qu'il le peut sur les toits des immeubles, à la poursuite de l'Obscurus.*

NORBERT
Croyance ! Croyance, je peux t'aider.

L'Obscurus plonge droit sur NORBERT qui transplane juste à temps, avant de continuer sa poursuite de toit en toit.

Dans sa course, des sortilèges explosent autour de lui, désintégrant les toits. Une douzaine d'Aurors sont apparus, ils attaquent l'Obscurus par l'autre côté et manquent de tuer NORBERT *qui se rue pour se mettre à couvert, essayant désespérément de ne pas se laisser distancer.*

L'Obscurus change sans cesse de direction pour éviter les sortilèges. Il laisse sur son passage des particules noires en forme de flocons de neige, qui flottent sur les toits tandis qu'il s'enfuit en hurlant et se dirige vers un autre pâté de maisons.

Dans une manifestation de force particulièrement spectaculaire, l'Obscurus s'élève à présent dans les airs, suivi par les lumières bleutées et électriques des sortilèges qui explosent de tous côtés. Enfin, il s'écrase au sol et file le long d'une rue large et déserte, tel un tsunami noir détruisant tout sur son chemin.

SCÈNE 104

EXT. NUIT – DEVANT UNE STATION DE MÉTRO

Une rangée de policiers s'est déployée, leurs armes pointées sur la terrifiante force surnaturelle qui fonce vers eux.

L'expression de leur visage passe d'une interrogation inquiète à une totale panique lorsqu'ils voient la forme tourbillonnante se ruer droit sur eux. Ils font feu, mais leurs efforts sont dérisoires face à cette masse en mouvement dont l'élan semble impossible à arrêter. Enfin, les policiers se dispersent, fuyant le long de la rue, à l'instant où l'Obscurus arrive sur eux.

SCÈNE 105

EXT. NUIT – TOITS / RUES DE NEW YORK

PLAN de NORBERT *debout au sommet d'un gratte-ciel. Il regarde l'Obscurus qui s'élève au-dessus des immeubles*

environnants puis s'abat au sol dans un mouvement spectaculaire, juste devant l'entrée du métro de l'hôtel de ville.

Un calme soudain s'installe. Une respiration profonde, palpitante, sifflante, s'élève de l'Obscurus qui s'est arrêté devant la station de métro.

Enfin, sous le regard de NORBERT, *la masse noire rétrécit jusqu'à disparaître. La petite silhouette de* CROYANCE *descend alors les marches qui mènent au métro.*

SCÈNE 106
INT. NUIT – MÉTRO

NORBERT *surgit par transplanage dans le métro de l'hôtel de ville. C'est un tunnel Art déco aux murs couverts de mosaïque. Les lieux portent les traces du passage de l'Obscurus : le lustre qui éclaire la station grince, des morceaux de mosaïque sont*

tombés. On entend la créature respirer profondément, recroquevillée quelque part, telle une panthère apeurée.

NORBERT *s'avance précautionneusement le long du quai, essayant de trouver l'épicentre du son, alors que l'Obscurus descend en glissant du plafond.*

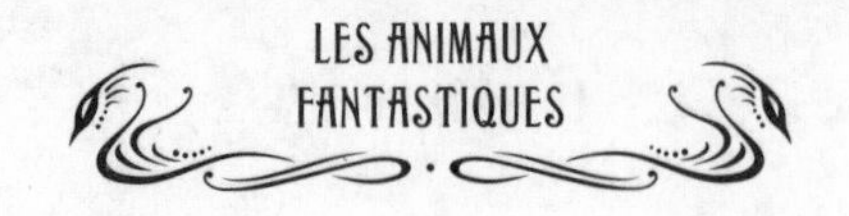

SCÈNE 107

EXT. NUIT – ENTRÉE DU MÉTRO

Des Aurors cernent l'entrée du métro. Pointant leurs baguettes successivement vers le sol puis vers le ciel, ils créent un champ d'énergie invisible autour de la station.

Nous entendons d'autres Aurors arriver. Parmi eux, GRAVES *qui examine, calcule et prend immédiatement les choses en main.*

GRAVES

Barrez le secteur. Personne d'autre ne doit descendre.

Alors que le champ magique est presque installé, une silhouette roule au-dessous et dévale sans être vue les marches menant au métro – c'est TINA.

SCÈNE 108
INT. NUIT – MÉTRO

NORBERT *a retrouvé l'Obscurus dans l'ombre d'un tunnel. Beaucoup plus calme à présent, il tournoie doucement dans l'air, au-dessus des rails du métro.* NORBERT *parle en se cachant derrière un pilier.*

NORBERT

Croyance… C'est Croyance, c'est ça ?

Je suis là pour t'aider, Croyance.
Pas pour te faire du mal.

On entend au loin des bruits de pas qui avancent avec décision, à un rythme parfaitement contrôlé.

NORBERT *sort de derrière le pilier et descend sur les rails. Dans la masse que forme l'Obscurus, nous voyons l'ombre de* CROYANCE, *ramassé sur lui-même, apeuré.*

NORBERT

Une fois, j'ai rencontré quelqu'un qui
était comme toi, Croyance. Une fille.
Une petite fille qui avait été
emprisonnée. Elle avait été enfermée
et punie à cause de sa magie.

CROYANCE *écoute; il n'avait jamais pensé que quelqu'un d'autre puisse être comme lui. Lentement, l'Obscurus semble fondre, ne laissant plus voir que* CROYANCE, *pelotonné sur les rails du métro – un enfant terrifié.*

NORBERT *s'accroupit.* CROYANCE *le regarde, une minuscule*

lueur d'espoir apparaissant sur son visage : y aurait-il une possibilité de retour ?

NORBERT

Croyance, je peux venir jusqu'à toi ?
Je peux venir ?

NORBERT *s'avance lentement mais, à ce moment, une vive explosion de lumière jaillit de l'obscurité et un sortilège le frappe, le projetant en arrière.*

GRAVES *marche le long du couloir. Son visage exprime une intense détermination.*

CROYANCE *se met à courir pendant que* GRAVES *lance d'autres sortilèges à* NORBERT *qui roule sur lui-même pour les esquiver en se cachant derrière les piliers centraux du tunnel. De là,* NORBERT *essaye de riposter, mais ses efforts sont facilement neutralisés.*

CROYANCE *continue d'avancer le long des voies, mais il s'immobilise brusquement, tel un lapin paralysé par les phares d'une voiture : un train approche, ses lumières étincelant dans l'obscurité.*

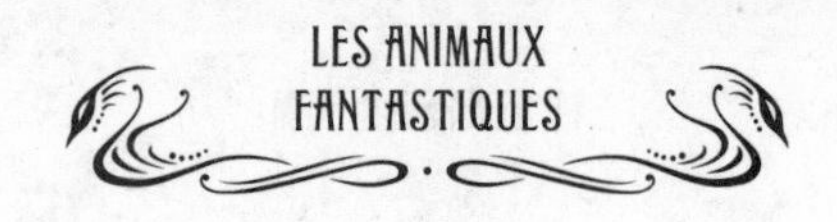

Il appartient à GRAVES *de sauver* CROYANCE, *en l'écartant par une intervention magique de la trajectoire du train.*

SCÈNE 109
EXT. NUIT – ENTRÉE DU MÉTRO

MME PICQUERY, *protégée par le champ magique, à l'entrée du métro, observe la situation.*

PLAN SUBJECTIF de la foule et des policiers :
Des gens commencent à affluer. Leurs cris, leurs paroles retentissent de plus en plus fort alors qu'ils contemplent la bulle magique entourant l'entrée de la station. Des reporters sont apparus et photographient la scène avec une frénésie grandissante.

SHAW SENIOR *et* BARKER *se frayent un chemin parmi les badauds.*

SHAW SENIOR

Cette chose a tué mon fils. Je réclame justice.

GROS PLAN de MME PICQUERY *qui regarde la foule.*

SHAW SENIOR

(*hors champ*)

Je révélerai qui vous êtes et ce que vous avez fait.

SCÈNE 110
INT. NUIT – MÉTRO

GRAVES, *debout sur le quai, poursuit son duel contre* NORBERT, *qui se tient sur les rails.* CROYANCE *se recroqueville derrière lui.*

Enfin, presque lassé par les efforts de NORBERT, GRAVES *lance dans le tunnel un maléfice dont l'onde de choc se propage le long des voies et finit sa course dans une explosion, projetant* NORBERT *haut dans les airs.*

NORBERT *retombe sur le dos et* GRAVES *se précipite sur lui, jetant comme en une succession de coups de fouet des sortilèges de plus en plus puissants. L'immense pouvoir de* GRAVES *est manifeste et* NORBERT, *qui se tortille par terre, est incapable de l'arrêter.*

SCÈNE 111

EXT. NUIT – ENTRÉE DU MÉTRO

PLAN GÉNÉRAL :
Nous voyons à présent la paroi lumineuse d'énergie vibrante étinceler de toute sa puissance magique.

LANGDON, *ivre, a le regard fixe, fasciné et abasourdi par le spectacle.*

SHAW SENIOR
(*aux photographes qui l'entourent*)
Vous avez vu ? Prenez des photos.

SCÈNE 112
INT. NUIT – MÉTRO

GRAVES *continue de cribler* NORBERT *de sortilèges, une lueur frénétique, démente, dans le regard.*

GROS PLAN de CROYANCE *qui sanglote, un peu plus loin dans le tunnel. Il se met à trembler, son visage prenant lentement une teinte noire alors qu'il essaye d'empêcher la masse mouvante de monter en lui.*

Tandis que NORBERT *hurle de douleur,* CROYANCE *succombe à la noirceur – son corps est enveloppé, submergé. L'Obscurus s'élève en l'air et fonce dans le tunnel en direction de* GRAVES.

GRAVES *est comme hypnotisé. Il tombe à genoux, sous l'énorme masse noire – émerveillé et suppliant à la fois.*

GRAVES

Croyance.

L'Obscurus laisse échapper un cri surnaturel et plonge sur

GRAVES *qui transplane juste à temps. L'Obscurus poursuit sa course hurlante dans le tunnel.*

GRAVES *et* NORBERT *transplanent, disparaissant et apparaissant, s'efforçant de s'écarter du chemin de l'Obscurus. Cette poursuite provoque de plus en plus de dégâts dans la station. Soudain, la force accélère, se transformant en une vague gigantesque qui consume tout l'espace avant de s'envoler à travers le plafond.*

SCÈNE 113
EXT. NUIT – ENTRÉE DU MÉTRO

L'Obscurus fracasse la chaussée et s'échappe, sous les yeux des sorciers et également des Non-Maj. Il bondit le long d'un gratte-ciel en construction. Des vitres sont pulvérisées à chaque étage, des câbles électriques explosent, jusqu'à ce qu'il atteigne, tout en haut du bâtiment, la structure squelettique d'un échafaudage qui ploie dangereusement.

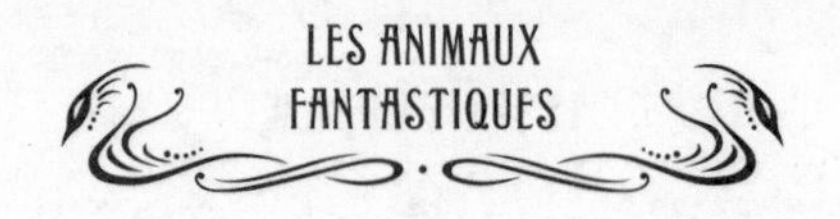

Au-dessous, la foule, autour du dôme de protection magique, s'enfuit à toutes jambes, terrifiée.

L'Obscurus prend la forme d'un large disque avant de replonger dans le métro.

SCÈNE 114
INT. NUIT – MÉTRO

L'Obscurus hurle et plonge, défonçant le plafond du métro – pendant une fraction de seconde, NORBERT *et* GRAVES *semblent tous deux condamnés à mourir. Allongés sur les voies, ils se recroquevillent, impuissants sous cette force des Ténèbres.*

TINA
(*hors champ*)
CROYANCE, NON !

TINA *court sur les voies.*

À quelques centimètres du visage de GRAVES, *l'Obscurus s'immobilise. Lentement, très lentement, il se redresse, ondulant plus doucement, et observe* TINA *qui plante son regard dans ses yeux étranges.*

TINA
Ne fais pas ça. S'il te plaît.

NORBERT
Continuez de lui parler, Tina. Oui,
parlez-lui. Il vous écoutera. Il écoute.

À l'intérieur de l'Obscurus, CROYANCE *tend la main vers* TINA, *la seule personne qui ait jamais fait preuve à son égard d'une bienveillance spontanée. Il la regarde, désespéré et apeuré. Il rêve d'elle depuis le moment où elle l'a sauvé d'une correction.*

TINA
Je sais ce que cette femme t'a fait…
Je sais que tu as souffert… Il faut que

tu arrêtes, maintenant… Norbert
et moi allons te protéger…

GRAVES *s'est relevé.*

TINA
(*montrant* GRAVES *du doigt*)
Cet homme… Il se sert de toi.

GRAVES
Ne l'écoute pas, Croyance. Je veux que
tu sois libre. Ça va aller.

TINA
(*à* CROYANCE, *s'efforçant de le calmer*)
C'est bien…

L'Obscurus commence à diminuer de volume. Son visage terrifiant devient plus humain, plus proche de celui de CROYANCE.

Soudain, des Aurors dévalent les marches du métro et s'engouffrent dans le tunnel. D'autres Aurors s'avancent derrière TINA, *pointant avec agressivité leurs baguettes magiques.*

TINA

Chut. Arrêtez. Vous allez lui faire peur.

L'Obscurus laisse échapper une terrible plainte et se met à enfler à nouveau. La station de métro s'écroule de toutes parts. NORBERT *et* TINA *font volte-face, les poings sur les hanches, essayant tous deux de protéger* CROYANCE.

GRAVES *se tourne aussitôt pour faire face aux Aurors, sa baguette magique brandie.*

GRAVES

Baissez vos baguettes ! Si vous lui faites
du mal, vous aurez affaire à moi !
(*se retournant vers* CROYANCE)
Croyance !

TINA

Croyance…

Les Aurors soumettent l'Obscurus à une pluie de sortilèges.

GRAVES

NON !

Nous voyons CROYANCE *crier, à l'intérieur de la masse noire, les traits déformés. Le tir de sortilèges se poursuit et* CROYANCE *hurle de douleur.*

SCÈNE 115
EXT. NUIT – ENTRÉE DU MÉTRO

Le champ de force magique qui entoure l'entrée du métro se brise pendant que les passants continuent de fuir les lieux. Seuls SHAW SENIOR *et* LANGDON *restent où ils sont.*

SCÈNE 116
INT. NUIT – MÉTRO

Des Aurors ne cessent de jeter des sortilèges sur l'Obscurus, dans un effort inlassable et brutal.

Sous la pression, l'Obscurus semble enfin imploser en une boule magique de lumière blanche qui submerge la masse noire.

La puissance du phénomène projette en arrière TINA, NORBERT *et les Aurors qui reculent en trébuchant.*

La force décroît. Seuls de petits lambeaux de matière noire flottent encore dans l'air, telles des plumes.

NORBERT *se relève, le visage ravagé par un profond chagrin.* TINA *reste par terre. Elle pleure.*

GRAVES, *cependant, remonte sur le quai et s'approche aussi près que possible des restes de la masse noire.*

Les Aurors s'avancent vers GRAVES.

GRAVES

Bande d'idiots. Vous vous rendez
compte de ce que vous avez fait ?

GRAVES *bouillonne de rage sous le regard intéressé des autres.* MME PICQUERY *émerge d'entre les Aurors, et s'adresse à lui d'un ton glacial, inquisiteur.*

MME PICQUERY

L'Obscurial a été tué sur mes ordres,
monsieur Graves.

GRAVES

Oui. Et l'Histoire ne manquera pas
de nous le rappeler, madame
la présidente.

GRAVES *s'avance vers elle, sur le quai. Sa voix est menaçante.*

GRAVES

Ce qui s'est passé ce soir était
une erreur.

MME PICQUERY

Il était responsable de la mort d'un Non-Maj. Il a mis notre communauté en péril. L'une de nos lois les plus sacrées a été enfreinte.

GRAVES

(*avec un rire amer*)

Une loi qui nous contraint à nous terrer comme des rats. Une loi qui nous ordonne de cacher notre vraie nature. Une loi qui exige que ceux qui lui obéissent rasent les murs de crainte qu'ils ne soient découverts. Alors je vous le demande, madame la présidente…

(*son regard lançant des éclairs à tous ceux qui l'entourent*)

Je vous le demande à tous. Qui cette loi protège-t-elle ? Nous ?

(*avec un vague geste vers les Non-Maj, au-dessus*)

Ou eux ?

(*souriant avec rancœur*)
Je refuse d'obéir plus longtemps.

GRAVES *s'éloigne des Aurors.*

MME PICQUERY
(*aux Aurors qui l'accompagnent*)
Aurors, confisquez sa baguette magique à M. Graves et escortez-le jusqu'au…

Alors que GRAVES *poursuit son chemin sur le quai, un mur de lumière blanche se dresse soudain, lui bloquant le passage.*

GRAVES *réfléchit un instant, un rictus de dérision et d'agacement sur les lèvres. Il fait volte-face.*

GRAVES *revient en arrière d'un pas assuré, jetant des sortilèges sur les deux groupes d'Aurors qui lui font face. De tous côtés, des maléfices fondent sur lui mais il parvient à les parer jusqu'au dernier. Plusieurs Aurors sont expédiés dans les airs,* GRAVES *semble remporter la victoire…*

En une fraction de seconde, NORBERT *tire le cocon de sa*

poche et le jette en direction de GRAVES. *Le Démonzémerveille vole autour de lui, protégeant* NORBERT *et les Aurors des sortilèges de* GRAVES *et laissant ainsi à* NORBERT *le temps de brandir sa baguette magique.*

Donnant l'impression qu'il gardait cette dernière arme en réserve, NORBERT *lance à travers les airs une corde crépitante de lumière surnaturelle qui enveloppe* GRAVES *comme la lanière d'un fouet.* GRAVES *essaye de la repousser alors qu'elle se resserre autour de lui, mais il trébuche, se débat et tombe à genoux, lâchant sa baguette magique.*

TINA

Accio !

La baguette de GRAVES *s'envole vers les mains de* TINA. GRAVES *les regarde tous avec une expression de haine profonde.*

NORBERT *et* TINA *s'avancent lentement,* NORBERT *brandissant sa baguette.*

NORBERT

Revelio.

GRAVES *se transforme. Il n'est plus brun mais blond et a maintenant les yeux bleus. Il est l'homme qu'on voit sur les affiches. Un murmure se répand parmi la foule : GRINDELWALD.*

MME PICQUERY *s'approche de lui.*

GRINDELWALD
(*méprisant*)
Vous croyez que *vous* me garderez *prisonnier* ?

MME PICQUERY
Nous nous y emploierons, monsieur Grindelwald.

GRINDELWALD *fixe* MME PICQUERY *d'un regard intense. Son expression de dégoût se transforme en un petit sourire railleur. Deux Aurors l'obligent à se relever et l'emmènent vers l'entrée du métro.*

En passant devant NORBERT, *il s'arrête, à la fois souriant et moqueur.*

GRINDELWALD

Allons-nous mourir un peu ?

Il est alors entraîné hors du métro. NORBERT *le regarde, perplexe.*

CUT :

QUEENIE *et* JACOB *se frayent un chemin jusqu'aux Aurors.* JACOB *tient à la main la valise de* NORBERT.

QUEENIE *serre* TINA *dans ses bras.* NORBERT *fixe* JACOB *des yeux.*

JACOB

Hé… J'ai pensé qu'il valait peut-être mieux garder un œil là-dessus.

Il tend sa valise à NORBERT.

NORBERT

(*modeste, profondément reconnaissant*)

Merci.

MME PICQUERY *s'adresse au groupe qui se trouve devant elle en regardant le monde extérieur à travers le plafond défoncé de la station de métro.*

MME PICQUERY

Nous vous devons des excuses, monsieur Dragonneau. Mais la communauté magique est démasquée. Nous ne pouvons pas oublietter toute une ville.

Un temps, pendant lequel chacun assimile l'importance de ce qu'elle vient de dire.

En suivant le regard de MME PICQUERY, NORBERT *aperçoit un lambeau de matière noire, une toute petite partie de l'Obscurus qui flotte en traversant le plafond. Sans que personne d'autre l'ait remarqué, le lambeau remonte et s'éloigne pour essayer de se réagréger à son corps d'origine.*

Un temps. NORBERT *reporte son attention sur le problème qui se pose dans l'immédiat.*

NORBERT

En vérité, je crois que si.

CUT :
NORBERT *a posé sa valise grande ouverte sous l'immense trou, dans le plafond du métro.*

TRAVELLING AVANT sur la valise ouverte de NORBERT.

Tout à coup, FRANK *jaillit en un tourbillon de plumes et de vent. La foule des Aurors recule sous l'effet de surprise. La créature est magnifique, fascinante, mais effrayante aussi, lorsqu'elle agite ses ailes puissantes et prend son envol au-dessus de leur tête.*

NORBERT *s'avance et regarde* FRANK *avec une expression de fierté et de véritable tendresse.*

NORBERT

Je voulais attendre qu'on soit arrivés
en Arizona. Mais il semble que tu sois
notre seul espoir, Frank.

Ils échangent un coup d'œil – on sent qu'ils se comprennent. NORBERT *tend le bras et* FRANK *presse son bec contre lui avec amour, dans une véritable étreinte. Ils semblent s'embrasser avec affection.*

Impressionné, le groupe des Aurors regarde le spectacle.

NORBERT

Tu me manqueras aussi.

NORBERT *fait un pas en arrière et prend dans sa poche le flacon qui contient le venin du Démonzémerveille.*

NORBERT

(*à* FRANK)

Tu sais ce que tu as à faire.

NORBERT *lance la fiole haut dans les airs.* FRANK *laisse échapper un cri aigu, l'attrape dans son bec et s'envole immédiatement, loin du métro.*

SCÈNE 117
EXT. AUBE – CIEL DE NEW YORK

Les Non-Maj autant que les Aurors hurlent et reculent lorsque FRANK *jaillit du métro et plane dans le ciel teinté des couleurs de l'aube.*

Nous suivons FRANK *qui s'élève de plus en plus haut dans les airs. À mesure que ses ailes battent plus fort et plus vite, des nuages d'orage s'accumulent dans le ciel. Des éclairs jaillissent. Nous montons en spirale à la suite de* FRANK *qui tourne et vire, laissant New York loin au-dessous.*

GROS PLAN sur le bec de FRANK. *Il serre la fiole qui finit par s'écraser. Le puissant venin se répand dans l'eau des nuages et la rend plus dense en l'imprégnant de son pouvoir magique. Le ciel assombri lance un éclair bleu étincelant et la pluie commence à tomber.*

SCÈNE 118

EXT. AUBE – ENTRÉE DU MÉTRO

PLAN GÉNÉRAL : on descend en travelling vers la foule qui lève la tête pour regarder le ciel. Alors que la pluie tombe sur eux, les passants reprennent leur chemin, dociles – leurs mauvais souvenirs effacés. Chacune et chacun retourne à ses affaires quotidiennes comme si rien d'inhabituel ne s'était produit.

Les Aurors sillonnent les rues en lançant des sortilèges de Réparation pour reconstruire la ville : immeubles et voitures sont reconstitués, les rues retrouvent leur aspect normal.

PLAN de LANGDON*, debout sous la pluie. L'expression de son visage s'adoucit, devient vide, tandis que la pluie ruisselle sur sa tête.*

PLAN sur les policiers qui regardent leurs armes, déconcertés : pourquoi les ont-ils dégainées ? Ils reprennent lentement leurs esprits, rangeant revolvers et pistolets.

Dans une petite maison familiale, une jeune mère contemple

les siens avec affection. Alors qu'elle boit une gorgée d'eau, l'expression de son visage devient vide.

Des groupes d'Aurors continuent de réparer les rues, redressant rapidement des rails de tramway tordus. Toutes les traces de destruction finissent par disparaître. L'un des Aurors, en passant devant un kiosque à journaux, jette un sortilège pour effacer les portraits de NORBERT *et de* TINA *et les remplacer par des titres banals sur la météo.*

M. BINGLEY, *le directeur de la banque, prend une douche dans sa salle de bains. Alors que l'eau ruisselle sur lui, sa mémoire est également effacée. Nous voyons l'épouse de* BINGLEY *en train de se brosser les dents, le visage sans expression, dépourvu de tout souci.*

FRANK *continue de voler au-dessus des rues de New York, remuant sur son passage des quantités grandissantes de pluie, ses plumes luisant d'un éclat doré. Enfin, il plane vers l'aube qui se lève sur New York. Un spectacle magnifique.*

SCÈNE 119
INT. AUBE – QUAI DU MÉTRO

Sous le regard de MME PICQUERY, *le plafond du métro est très vite réparé.*

NORBERT *s'adresse aux autres.*

NORBERT
Ils ne se souviendront de rien.
Ce venin a un pouvoir oubliettant
incroyablement puissant.

MME PICQUERY
(*impressionnée*)
Nous vous devons une fière chandelle,
monsieur Dragonneau. Maintenant,
faites sortir cette valise de New York.

NORBERT
Oui, madame la présidente.

MME PICQUERY *s'éloigne, suivie de sa troupe d'Aurors. Soudain, elle se retourne.* QUEENIE, *qui a lu dans ses pensées, se met devant* JACOB *pour essayer de le cacher, dans un geste protecteur.*

MME PICQUERY
Est-ce que ce Non-Maj est encore ici ?
(*voyant* JACOB)
Oubliettez-le. On ne peut faire aucune exception.

MME PICQUERY *perçoit l'angoisse sur leur visage.*

MME PICQUERY
Je regrette, mais… un seul témoin et… Vous connaissez la loi.

Un temps. Leur désarroi la met mal à l'aise.

MME PICQUERY
Je vous laisse vous dire au revoir.

Elle s'en va.

SCÈNE 120
EXT. AUBE – MÉTRO

JACOB *a pris la tête du groupe et monte les marches qui mènent hors de la station, suivi de près par* QUEENIE.

Il tombe toujours une pluie battante, les rues sont presque vides, à présent, en dehors de quelques Aurors zélés.

Lorsqu'il arrive en haut des marches, JACOB *contemple la pluie.* QUEENIE *tend la main et le retient par son manteau. Elle ne veut pas le laisser sortir dans la rue.* JACOB *se retourne vers elle.*

JACOB

Hé ! C'est mieux comme ça.

(*sous leur regard*)

Oui. Je… Déjà, je n'aurais même pas dû me trouver ici.

JACOB *ravale ses larmes.* QUEENIE *le regarde fixement, son beau visage exprimant sa détresse.* TINA *et* NORBERT, *eux aussi, paraissent extrêmement tristes.*

JACOB

J'étais pas censé être au courant de tout ça. On sait bien que si Norbert m'a gardé avec vous c'est parce que… Norbert, au fait, pourquoi vous m'avez gardé avec vous ?

NORBERT *doit s'expliquer, ce qui n'est pas facile.*

NORBERT

Parce que je vous apprécie. Parce que vous êtes mon ami. Et je n'oublierai jamais à quel point vous m'avez aidé, Jacob.

Un temps. En entendant les paroles de NORBERT, JACOB *est submergé par l'émotion.*

JACOB

Oh !

QUEENIE *s'approche de* JACOB, *en haut des marches. Ils sont tout près l'un de l'autre.*

QUEENIE

(*essayant de l'égayer*)

Je vais venir avec vous. On ira quelque part. On ira n'importe où. Je ne trouverai jamais quelqu'un comme…

JACOB

(*courageusement*)

Il y en a une foule comme moi.

QUEENIE

Non… Non… Il n'y en a qu'un comme toi.

La douleur est presque insupportable.

JACOB

(*un temps*)

Il faut que j'y aille.

JACOB *tourne les talons pour affronter la pluie et s'essuie les yeux.*

NORBERT
(*il le suit*)

JACOB !

JACOB
(*qui s'efforce de sourire*)
Ça va… Ça va aller… Ça va. C'est
comme quand on se réveille, hein ?

Les autres lui rendent son sourire, essayant de l'encourager, d'adoucir les choses.

Il les regarde dans les yeux tout en s'éloignant à reculons. Il lève alors la tête vers le ciel, les bras tendus, et laisse la pluie ruisseler sur lui.

D'un coup de baguette, QUEENIE *fait surgir un parapluie magique et s'avance vers* JACOB. *Elle s'approche tout près, tendrement, lui caresse le visage puis ferme les yeux et se penche pour l'embrasser avec douceur.*

Enfin, elle s'écarte lentement, sans quitter des yeux un seul instant le visage de JACOB. *Et soudain, elle disparaît, laissant*

JACOB *seul, les bras tendus, étreignant amoureusement le vide.*

GROS PLAN du visage de JACOB *qui se « réveille » véritablement, le regard sans expression, ne comprenant pas ce qu'il fait là, debout sous une pluie battante. Il finit par s'éloigner le long d'une rue – silhouette solitaire.*

SCÈNE 121

EXT. DÉBUT DE SOIRÉE – CONSERVERIE OÙ TRAVAILLE JACOB, UNE SEMAINE PLUS TARD

Un JACOB *épuisé, entouré d'une foule d'ouvriers vêtus de salopettes semblables, quitte l'usine après une dure journée de travail à la chaîne. Il porte une valise de cuir cabossée.*

Un homme marche dans sa direction – c'est NORBERT. *Ils se heurtent brutalement et la valise de* JACOB *est projetée par terre.*

NORBERT

Oh, pardon. Excusez-moi !

NORBERT *repart très vite d'un pas résolu.*

JACOB

(*il ne l'a pas reconnu*)

Hé !

JACOB *se penche pour ramasser sa valise et la regarde, déconcerté. Sa vieille valise est devenue soudain très lourde. L'un des fermoirs s'ouvre de sa propre initiative.* JACOB *a un léger sourire et se penche à nouveau pour ouvrir la valise.*

Elle est remplie de coquilles d'œufs d'Occamy, en argent

massif. Un mot a été joint. Pendant que JACOB *le lit, nous entendons :*

NORBERT

(*en voix off*)

Cher monsieur Kowalski, vous gâchez vos talents à la conserverie. Acceptez ces coquilles d'œufs d'Occamy comme garantie pour votre boulangerie. Un ami qui vous veut du bien.

SCÈNE 122

EXT. JOUR – PORT DE NEW YORK, LE LENDEMAIN

GROS PLAN des pieds de NORBERT *qui marche dans la foule.*

NORBERT *s'apprête à quitter New York, vêtu de son manteau, l'écharpe de Poufsouffle autour du cou, sa valise solidement attachée avec de la ficelle.*

TINA *marche à côté de lui. Ils s'arrêtent devant la porte d'embarquement.* TINA *paraît anxieuse.*

NORBERT
(*souriant*)
Bon. Ça a vraiment été…

TINA
Oui, hein ?

Une pause. NORBERT *lève la tête. En voyant l'expression de son visage, on sent que* TINA *attend quelque chose.*

TINA
Dites, Norbert, je tenais à vous remercier.

NORBERT
Me remercier de quoi ?

TINA

Ben, vous savez… Si vous n'aviez pas dit tant de gentillesses sur moi à Mme Picquery, je n'aurais pas pu revenir travailler comme enquêtrice.

NORBERT

Eh bien, je ne souhaiterais avoir personne d'autre pour enquêter sur moi.

Ce n'est pas exactement ce qu'il avait l'intention de dire, mais il est trop tard, à présent… NORBERT *devient un peu gauche,* TINA *manifeste une timide approbation.*

TINA

Faites en sorte qu'on n'enquête pas sur vous avant un bout de temps.

NORBERT

Entendu. Oui, je vais mener une vie tranquille… Je vais retourner au ministère… Rendre mon manuscrit.

TINA

Je guetterai sa sortie. *Les Animaux fantastiques, vie et habitat.*

Faible sourire. Une pause. TINA *prend son courage à deux mains.*

TINA

Est-ce que Leta Lestrange aime lire ?

NORBERT

Qui donc ?

TINA

La fille sur la photo que vous gardez.

NORBERT

Je ne connais pas trop les goûts de Leta aujourd'hui. Parce que les gens changent.

TINA

Oui.

NORBERT
(*qui commence à prendre conscience de quelque chose*)
Moi, j'ai changé. Je crois. Enfin, un peu sans doute.

TINA *est enchantée, mais ne sait comment l'exprimer. Elle essaye simplement de ne pas pleurer. La sirène du paquebot retentit, la plupart des autres passagers ont maintenant embarqué.*

NORBERT
Je vous enverrai un exemplaire de mon livre, si vous permettez.

TINA
J'en serais enchantée.

NORBERT *regarde fixement* TINA *– avec une affection maladroite. Il tend doucement la main et lui caresse les cheveux. Tous deux restent là un moment, les yeux dans les yeux.*

Un dernier regard et NORBERT *s'éloigne soudain, laissant*

TINA *seule. Elle pose la main là où* NORBERT *lui a caressé les cheveux.*

Il revient alors.

NORBERT
Pardon, euh… que diriez-vous si
je vous le donnais en mains propres ?

Un sourire radieux apparaît sur le visage de TINA.

TINA
J'en serais enchantée. Vraiment
enchantée.

NORBERT *ne peut que lui sourire à son tour avant de tourner les talons et de s'en aller.*

Il s'arrête un moment sur la passerelle d'embarquement, ne sachant comment agir, et finit par poursuivre son chemin sans regarder en arrière.

TINA *demeure seule sur le quai du port vide. Elle s'éloigne alors et son pas a quelque chose de joyeux.*

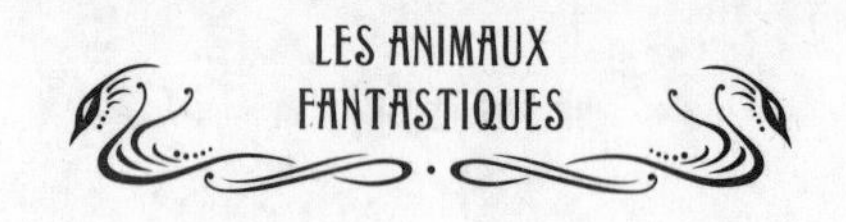

SCÈNE 123

EXT. JOUR – BOULANGERIE DE JACOB, DANS LE LOWER EAST SIDE, TROIS MOIS PLUS TARD

PLAN GÉNÉRAL d'une rue de New York animée : des étals

s'alignent le long des trottoirs. L'endroit grouille de passants affairés, de chevaux et de carrioles.

PLAN d'une petite boulangerie qui donne envie d'entrer. Une foule de clients se masse à l'extérieur du charmant magasin à la devanture duquel est peint le nom de KOWALSKI. Des gens regardent la vitrine avec intérêt et des clients satisfaits sortent de la boutique, les bras chargés de viennoiseries.

SCÈNE 124
INT. JOUR – BOULANGERIE DE JACOB, DANS LE LOWER EAST SIDE

GROS PLAN de la sonnette qui tinte pour signaler l'entrée d'un nouveau client.

GROS PLAN des pâtisseries et des pains qui s'alignent sur le comptoir, tous moulés dans des formes imaginaires et très

inhabituelles. On reconnaît parmi eux une Demiguise, un Niffleur et un Éruptif.

JACOB *sert les clients, manifestement très heureux que sa boutique soit bondée.*

UNE CLIENTE
(*examinant les petites pâtisseries*)
Mais où allez-vous chercher toutes ces idées, monsieur Kowalski ?

JACOB
Je sais pas. Je sais pas. Ça me vient, comme ça.

Il tend à la dame les pâtisseries qu'elle a achetées.

JACOB
Tenez. N'oubliez pas ça. Bon appétit.

JACOB *se retourne et appelle un de ses aides en lui donnant une paire de clés.*

JACOB

Hé, Henry. Tu vas dans la réserve ?
Merci, mon gars.

La sonnette retentit une fois de plus.

JACOB *lève les yeux et il est à nouveau comme frappé par la foudre : c'est* QUEENIE. *Ils échangent un regard –* QUEENIE *est rayonnante, radieuse.* JACOB, *perplexe mais littéralement ensorcelé, passe la main sur son cou – un éclair de mémoire. Il lui sourit.*

FIN

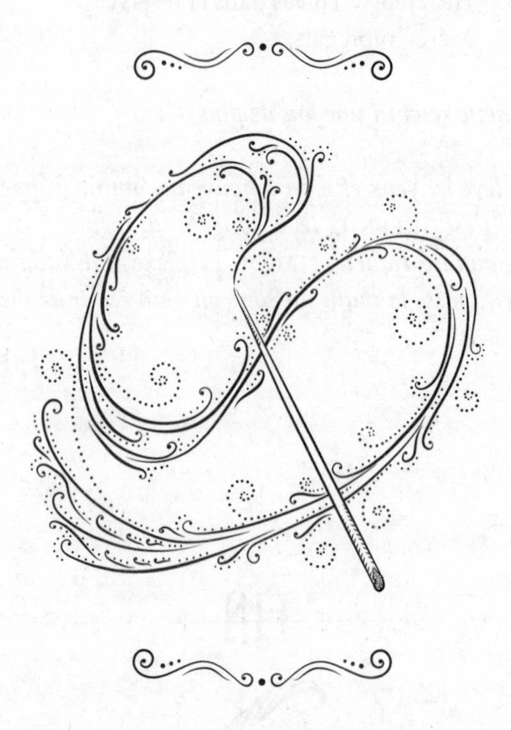

REMERCIEMENTS

Sans la patience et la sagesse de Steve Kloves et de David Yates, le scénario des *Animaux fantastiques* n'existerait pas. Ils ont droit à ma gratitude infinie pour chaque remarque, chaque encouragement, chaque amélioration qu'ils m'ont prodigués. Apprendre, selon la formule de Steve, à « adapter la femme à la robe » a constitué un défi, une expérience fascinante, exaspérante, exaltante, rageante et finalement gratifiante que pour rien au monde je n'aurais voulu manquer. Je n'aurais pas pu y arriver sans eux.

David Heyman a été avec moi depuis le premier pas qui a mené à la transposition de *Harry Potter* au grand écran, et *Les Animaux fantastiques* auraient été infiniment moins riches sans lui. Nous avons fait un long voyage depuis ce premier déjeuner inconfortable à Soho, et il apporte aujourd'hui à Norbert tout le savoir, le dévouement, l'expertise qu'il a apportés à *Harry Potter*.

La saga des *Animaux fantastiques* n'aurait jamais existé sans Kevin Tsujihara. Bien que cette idée ait germé dès 2001, lorsque j'ai écrit le premier livre sur ce sujet au

bénéfice d'une organisation caritative, il a fallu Kevin pour que je me décide à adapter l'histoire de Norbert au grand écran. Son soutien a été inestimable et c'est à lui que revient en grande partie le mérite d'avoir rendu les choses possibles.

Enfin, *last but not least*, ma famille m'a apporté un immense soutien dans ce projet, bien que j'aie dû renoncer aux vacances pendant un an pour le mener à bien. Je ne sais pas où je serais sans vous, je sais simplement que ce serait un endroit sombre et solitaire dans lequel je n'aurais pas envie d'inventer quoi que ce soit. Alors, à Neil, Jessica, David et Kenzie : merci d'être absolument merveilleux, drôles et pleins d'amour, et de continuer à croire que je devrais poursuivre *Les Animaux fantastiques*, même si ceux-ci peuvent parfois se révéler ardus et dévoreurs de temps.

DISTRIBUTION DES RÔLES ET ÉQUIPE DU FILM

Warner Bros. Pictures présente
un film de David Yates
produit par Heyday Films

LES ANIMAUX FANTASTIQUES

Réalisé par .... David Yates
Scénario de .... J. K. Rowling
Produit par .... David Heyman p.g.a., J. K. Rowling p.g.a., Steve Kloves p.g.a., Lionel Wigram p.g.a.
Producteurs délégués .... Tim Lewis, Neil Blair, Rick Senat
Directeur de la photographie .... Philippe Rousselot, A.F.C. / ASC
Directeur artistique .... Stuart Craig
Chef monteur .... Mark Day
Chef costumier .... Colleen Atwood
Musique originale .... James Newton Howard

RÔLES PRINCIPAUX

NORBERT DRAGONNEAU .... Eddie Redmayne
TINA GOLDSTEIN .... Katherine Waterston
JACOB KOWALSKI .... Dan Fogler
QUEENIE GOLDSTEIN .... Alison Sudol
CROYANCE BELLEBOSSE .... Ezra Miller
MARY LOU BELLEBOSSE .... Samantha Morton
HENRY SHAW SENIOR .... Jon Voight
SÉRAPHINE PICQUERY .... Carmen Ejogo

et

PERCIVAL GRAVES .... Colin Farrell

L'AUTEUR

J.K. Rowling est l'auteur des sept romans de la saga *Harry Potter*. Traduite en 80 langues, vendue à plus de 500 millions d'exemplaires et adaptée en 8 films à succès par Warner Bros., c'est aujourd'hui un véritable phénomène littéraire et l'une des œuvres les plus lues au monde. J.K. Rowling a également signé trois ouvrages de la Bibliothèque de Poudlard publiés au profit d'organisations caritatives : *Les Contes de Beedle le Barde* pour sa propre association d'aide aux enfants, Lumos ; et pour les associations Comic Relief et Lumos : *Le Quidditch à travers les âges* et *Les Animaux fantastiques : vie et habitat*. Elle a imaginé, avec l'auteur Jack Thorne et le metteur en scène John Tiffany, la pièce *Harry Potter et l'enfant maudit*, dont les premières représentations ont eu lieu à Londres durant l'été 2016, puis à Broadway en 2018. On lui doit aussi des romans pour adultes : *Une place à prendre* et, sous le pseudonyme de Robert Galbraith, trois enquêtes du détective Cormoran Strike. Son site et éditeur numérique, Pottermore, est la plateforme numérique du Monde des Sorciers.
Les Animaux fantastiques : le texte du film est le premier volet d'une série de cinq films dont J.K. Rowling a signé les scénarios.

LE GRAPHISME

Le graphisme de cet ouvrage a été réalisé par le studio MinaLima, fondé par Miraphora Mina et Eduardo Lima, à qui l'on doit le design graphique du film *Les Animaux fantastiques* et des huit films de la saga *Harry Potter*.
La couverture et les illustrations intérieures du livre ont été conçues d'après les créatures de l'histoire et s'inspirent du style décoratif des années 1920. Elles ont été dessinées à la main et finalisées numériquement.

TABLE

LE MONDE DES SORCIERS

HARRY POTTER

1. *Harry Potter à l'école des sorciers*
2. *Harry Potter et la Chambre des Secrets*
3. *Harry Potter et le prisonnier d'Azkaban*
4. *Harry Potter et la Coupe de Feu*
5. *Harry Potter et l'Ordre du Phénix*
6. *Harry Potter et le Prince de Sang-Mêlé*
7. *Harry Potter et les Reliques de la Mort*

La huitième histoire :
Harry Potter et l'enfant maudit
(le texte intégral de la pièce de théâtre)

LA BIBLIOTHÈQUE DE POUDLARD
Le Quidditch à travers les âges
(publié au profit de Comic Relief et Lumos)
Les Contes de Beedle le Barde
(publié au profit de Lumos)

LES ANIMAUX FANTASTIQUES :
LES TEXTES DES FILMS

1. *Les Animaux fantastiques*
2. *Les Crimes de Grindelwald*